2040年の未来予測

2040

Makoto Naruke

成毛 眞

元日本マイクロソフト社長

日経BP

はじめに

2021年の今、電車の中を見渡しても、ゲーム機や本を持ち歩いている人はめっきり見なくなった。道を聞くために交番に駆け込む人も激減しただろう。

すべてを変えたのはスマートフォンの普及だ。

日本で米アップルの「iPhone」が発売されたのは2008年7月だ。今からたった13年前の2008年の正月にはスマホがない景色が日常だったのだ。

13年前、あなたは何歳だっただろうか？

スマートフォンが出たとき、きっとまわりは懐疑的だったに違いない。「こんなおもちゃみたいなものは誰も使わない」「いまの携帯電話で十分」という声も多かっただろう。

しかし、誰も使わないどころか、今ではスマートフォンなしの暮らしなんて考えられない。

新しいテクノロジーが出たとき、世の大多数は否定的である。それを大衆という。世界を変える可能性に気づく人間は少ない。

新しいテクノロジーは、ありがたみがわかったときにはすでに陳腐化している。テクノロジーだけではなく、他のさまざまなことも、気づいたときには手遅れになっているのが人間の性でもある。東日本大震災があり、そのリスクをわかっていながらも、被災するまで手を打つ人は少ないし、明らかに破綻しつつある社会制度にも、本当に破綻するまでしがみつこうとする。日本の国内総生産（ＧＤＰ）は増えないし、人口は増えず、老人ばかりの国になるだろう。

死なない限り、20年後は誰にでも必ずくる。あなたは、20年後には、確実に20歳年をとる。

これまでと同じように暮らしていたら、今の年齢によっては取り返しのつかない可能性もあるだろう。あなたが、未来にどのような可能性とリスクがあるかを知りたければ、本書を参考にして欲しい。

スマートフォンは普及したが、13年前と変わらず、紅白は毎年ある。

私たち日本人は、昔も今も正月にはお雑煮を食べるし、５００円でコンビニ弁当も買えるし、ユニクロでジーンズも買う。ちなみに、スマートフォンが出た前年に、ユニクロではデニムが年間1000万本超を売り上げる超人気商品となって、ファッション市場をすでに席巻していた。つまり私たちの生活水準はあまり変わっていない。

だが、わたしたちの生活は選択肢を多く持てるようになった。

お雑煮に飽きたら、家にいながらもデリバリーサービス「Uber Eats《ウーバーイーツ》」を頼めばいいし、実家でテレビのチャンネル権がなければ、スマホをいじって音楽配信サービス「Spotify《スポティファイ》」で洋楽を聴いたり、動画配信サービス「Netflix《ネットフリックス》」で映画を見たりすればいい。道に迷うことは「Google《グーグル》マップ」の登場以降激減したし、タクシーも「GO《ゴー》」でさっと呼べる。スポーツの経過は、リアルタイムでニュースサイトが配信しているし、ラジオもアプリの「radiko《ラジコ》」でいつでも聞ける。

つまり我々の生活は、水準は大きく変わっていないのに、テクノロジーが生活様式を根底から変えてしまったのだ。それが、スマホ登場からのこの約10年だった。

そして、これまでの10年よりこれからの10年の方が世界は大きく、早く変わるだろう。

これまでの10年間の変化は、主に情報通信の大容量高速化がもたらした。この大容量高速化は今後さらに進む。すでにパソコンやスマホでストレスなく動画を見られるようになったし、家にいながらビデオ会議ができるようになっている。その恩恵はますます大きくなる。

２０３０年頃には第６世代移動通信システム「６Ｇ」が始まるといわれている。たとえば、つい最近までダウンロードに５分かかった２時間の映画が、０・５秒もかからなくなる。瞬きほどの時間になるのだ。

情報技術の進展は「面」でも広がっていく。

衛星で宇宙に巨大な通信網を構築し、へき地でも高速インターネット接続が可能になる。この方式では、衛星で宇宙からインターネットの信号を送る。安価で、しかも小型のアンテナさえあれば、光ファイバーなどのケーブルを敷く必要がない。途上国などでも十分な通信速度になるといわれている。

中心にいるのは電気自動車（ＥＶ）の米テスラを率いるイーロン・マスクだ。イーロン・マスクの「スペースＸ」は、世界のあらゆるところでインターネットへのアクセスを可能にするため、最終的に計４万２０００基の小型衛星を飛ばす計画を掲げている。

２０２０年にアメリカとカナダの一部でサービスを開始し、その後全世界をほぼカバーする予定となっている。情報通信の質も量も、過去とは比べものにならないほど進む時代がこれから待っていることがおわかりいただけるだろう。

これと両輪なのが、あらゆるもののコンピューター化だ。

家電や車だけではなく、たとえばメガネなど身につけるものや街中のいたるところにチップが埋め込まれ、常に通信している状態になる。

高速通信でさまざまなところから情報が吸い上げられ、膨大なデータ量が蓄積、分析され、あらゆる分野で人工知能（ＡＩ）の実用化も一気に進むだろう。

1章で詳しく述べるが、２０３０年は自動運転も空飛ぶクルマも、ドローンでの配送も世界ではあたりまえになっているはずだ。

そして、テクノロジーの加速度的な進展に欠かせないのが中国の存在だ。

２００７年以降の中国のすさまじい経済成長はみなさんもご存じだろう。

２００７年時点のＧＤＰでみると、中国はドイツを抜いて世界3位に浮上したところだった。この時点では日本が世界2位を守っている。

中国にその座を明け渡すのは3年後の２０１０年だ。そのまま、瞬く間に抜き去られ、今では中国のＧＤＰは日本の3倍近くにまで膨れあがっている。

アメリカではあくまでも資本市場のルールのもとで、民間企業が中心となってテクノロジー開発をしているが、中国は国主導で何十億ドルもの国家予算をＡＩや先端テクノロジーに投じている。

どちらのやり方が良いかではなく、中国とアメリカとが、がっぷり四つに組んで経済の覇権を争うことで、テクノロジー開発の変化率はさらに大きくなる。抜きつ抜かれつの競争が起きることで、テクノロジーは飛躍的に発展するわけだ。

実際、すでに中国の顔認証技術は世界でもトップクラスだ。人口が多いのに加え、国主導ですべての個人情報を実質的に吸い上げている。人権やプライバシーが重視される民主主義国家では到底できない荒技だ。結果、データの母数の多さは比べものにならず、ＡＩの精度も高まる。

先ほど、２０３０年には自動運転も空飛ぶクルマも、ドローンでの配送も当たり前になると述べたが、そのようなことをいうと「まさか」と驚かれる。だが、みなさんが気づいていないだけで、この未来は確実に起こる。テクノロジーは刻一刻と社会を変えている。

冒頭に少し触れたが、増えない日本のＧＤＰ、破綻しつつある社会制度や減る一方の人口、起こるだろう天災など、この本では、未来にどのような可能性とリスクがあるかを知って、自分で対策を立てられるように、ありのままに予測した。本を読み進めていくうちに、暗い気持ちになるかもしれない。しかし、これらを変えるかもしれないのがテクノロジーだ。

テクノロジーを大衆は最初にバカにする。19世紀にダイムラーが自動車をつくったときも、20世紀に入りライト兄弟が飛行機を発明したときも、大衆はその価値に気づかなかった。しかし、「そんなバカな」ことを実現しようと信じて取り組んできた人々が歴史をつくってきたのだ。

重要なのは、これから起きる新しいテクノロジーの変革は、すでに今、その萌芽があるということだ。何もないところから、急に新しいものは飛び出てこない。それを知って、バカにするか、チャンスにするかは自分次第だ。

テクノロジー以外にも、「今日」には、これから起こることの萌芽がある。現在を見つめれば、未来の形をつかむことは誰にでもできる。

繰り返すが、20年後は誰にでも必ずくる。そのとき、あなたの未来が少しでも明るくなっているように、本書が役に立つことを願う。

CONTENTS 目次

chapter
#01

テクノロジーの進歩だけが未来を明るくする

chapter

#02

あなたの不幸に直結する未来の経済——年金、税金、医療費

chapter
#03
衣・食・住を考えながら、未来を予測する力をつける

chapter
#04
天災は必ず起こる

Our World

2040:

chapter

#01

2040: Our World

テクノロジーの進歩だけが未来を明るくする

たった100年前から信じられないほど世界は変わっている

1章に入る前に、ここでちょっと、100年前の世界的な重要人物であったアインシュタインの来日の様子を見てみよう。

1922年の秋のある日、アインシュタインとその夫人エルダは、フランスから日本へ出発した。40日かかる船旅だった。予定より1日遅れて、神戸港に到着する。長旅はつらいもので、アインシュタインはここで、腹痛と下痢・嘔吐に襲われている。偶然、同じ船に医師が乗り合わせていて事なきをえたが、当時の客船には設備は整っていない。診察も、臨床的なカンに頼ってなされ「腸カタル」(現代でいう急性胃腸炎)と診断、薬が処方され、数日で症状は軽くなったという。

ちなみに、アインシュタインは、日本に到着する直前に、船中で1921年度ノーベル賞授与を正式に知らせる電報を受け取っている。アインシュタインといえば相対性理論が有名だが、対象となった研究は「光電効果」だ。

神戸に着いたアインシュタインは京都に向かい、ホテルで一夜を明かした。翌朝京都を自動車で一巡りした後、特急で東京へ向かう。10時間後の午後7時頃に東京駅に到着すると、プラットホームは、大勢の出迎えの人で身動きもできないほどだったという。群衆に取り囲まれ、「アインシュタイン！　アインシュタイン！」「万歳！」の声の中での写真撮影では凄まじいフラッシュを浴びた。

翌日の慶應義塾大学の講演には2千人以上の聴衆が押し寄せ、5時間にも及ぶ「特殊および一般相対性理論について」という演題を熱心に聞いた。

43日間滞在し、仙台から福岡まで日本中を汽車で回った。アインシュタインの動きは新聞が逐一伝え、到着する駅には大群衆が待ち受けた。有料の講演も行い、列島に物理ブームを巻き起こした。

おそらく当時の人は信じないだろう。100年後には、フランスから日本までの40日の船旅が、飛行機で12時間ほどになっていることを。

アインシュタインが10時間かけた京都―東京間の特急の旅も、新幹線で2時間あまりだ。そもそも、ヨーロッパからわざわざ日本に来なくてもオンラインで講演できるし、何なら講演を録画して、後日見ることもできると知ったらどういう顔をするだろうか。ちなみに、アインシュタインがこのときノーベル賞を受賞した「光電効果」は、その後多くのテクノロジーの元となったといってもいい。これについては後ほど詳しく説明しよう。彼本人は、その恩恵を受けていないのが面白いところだが。

100年後は、ひとり一台の電話を持ち、その電話で、世界中の出来事を気軽にリアルタイムで知ったり、音声どころか画像や動画のやりとりもできると知ったら腰を抜かすかもしれない。アインシュタインが受け取った電報は緊急時に使うものだったが、現在はほとんど使わない。船に医師がたまたま乗り合わせてなくても、モニター越しに専門医師と会話を交わせると伝えたら感動するだろうか。

カメラも、フィルムの現像など誰もしなくなっている。アインシュタイン来日を連日華々しく伝えた新聞は、現在の若者はほとんど読まなくなりつつあることも受け入れてもらえないはずだ。

そう、これらはたった100年前の話なのだ。この100年間で、まったく信じられないほど、テクノロジーは進歩した。

新しいテクノロジーが登場したとき、人間はその普及に反対する

新しいテクノロジーが登場したとき、多くの人はそれに反対する。

たとえば、19世紀末にカメラが、20世紀初頭に映画が、20世紀終わりにテレビゲームが登場した際、いずれも当初は受け入れられなかった。「カメラに写ると魂をとられる」などといわれたものだ。しかし、現在、この3つがない暮らしなど考えられるだろうか。

これらは、新たなテクノロジーが社会にどのように受け入れられるかの歴史を知る貴重な手がかりになるだろう。そして、あなたもそうした歴史の生き証人になっている事例がある。携帯電話だ。

１９７０年代末に携帯電話が登場してしばらくは、戦場での無線機のような大きさだったことが記憶にある人もいるだろう。その不格好さに誰もが「いらない」といったと思う。

その後、１９９９年にＮＴＴドコモの「ｉモード」が登場しても、電話にそんな機能は必要ないと指摘されたし、iPhoneが登場した際も、おもちゃと揶揄《やゆ》された。

だが今や子どもから大人まで、寝る間を惜しむどころか、歩きながらもスマホをいじることが社会問題になるほど生活に欠かせない存在になっている。そして、このiPhoneが登場したのはわずか13年前に過ぎない。

新しいテクノロジーに対して、ふつう、人は懐疑的になる。そういうものなのだ。

だからこそ、いち早くその可能性に思いを巡らせられる人にはチャンスがある。

新しい技術は組み合わせで現れる

技術は突然現れるわけではない。アインシュタインの発見を、現代にいたるまでさまざまな技術者が応用し、新しいものをつくった。

ノーベル賞の受賞対象となった「光電効果」では、それまで光は波であると考えられていたのだが、「波であるとともに、電子でもある」ということが発見された。

これはざっくりいうと、なにか物質に光を当てたときに、波であった光が電子に変わったり、電流になったり、電気抵抗が変化したりする現象だ。何が出るかは物質によりさまざまだ。次の図を見てみよう。

身近なところで説明すると、街灯などで暗くなると自動でスイッチが入り、明るくなると消える自動点灯を見たことがあるだろう。これは、回路に特性のセンサーを組み込んでおり、その周囲の光を電子に変え、それで電流を流したりするものだ。光の量が多いと電気を消し、反対に、少ないと電気をつけるスイッチをつけている。

図1 | 光電効果はいたるところで使われている

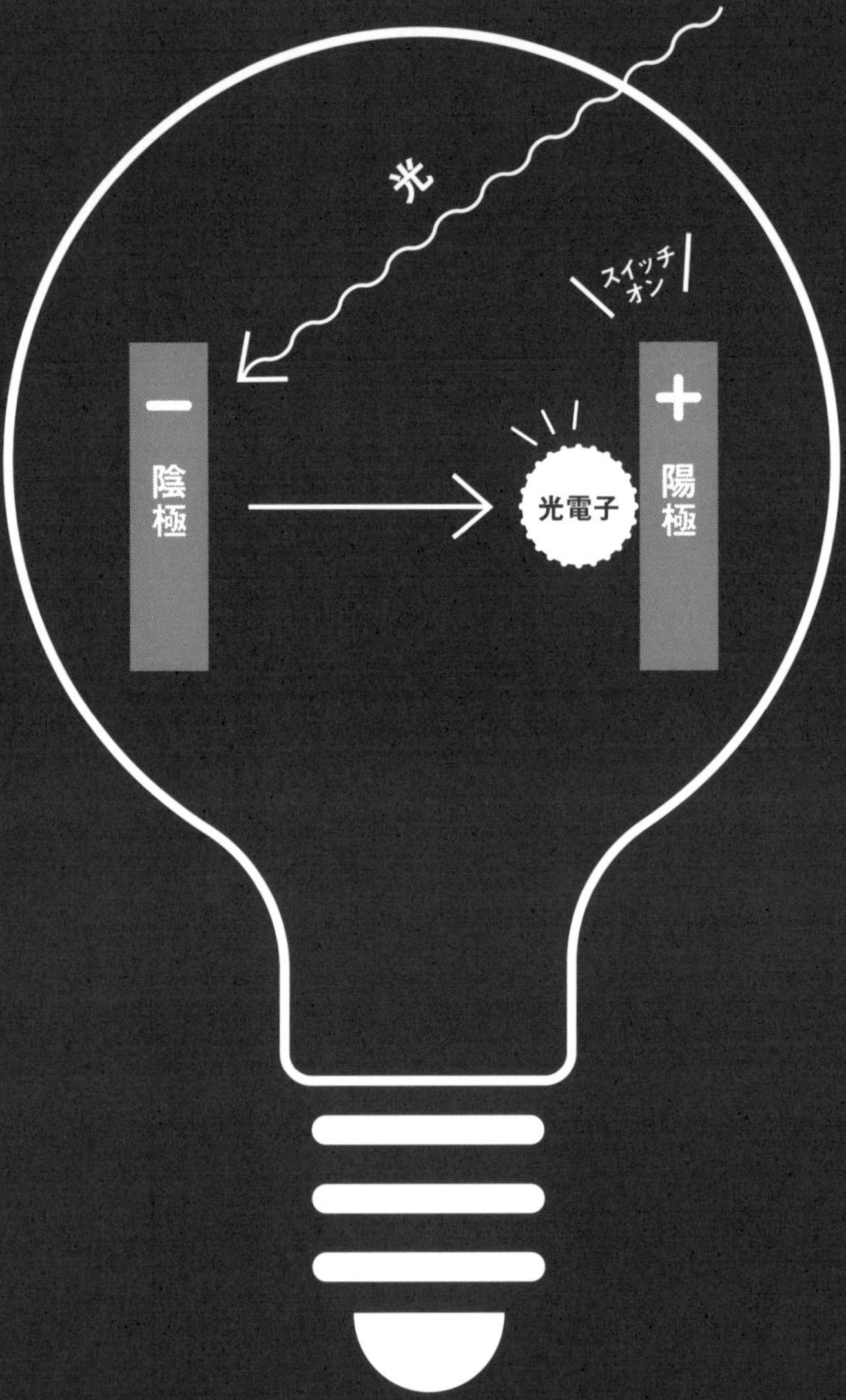

光電効果は光を電子に換える機器にはほとんど使われている。たとえば太陽電池パネルの発電や、ビデオやデジタルカメラで映像を記憶したりする技術もそうだ。光電効果の「光は波とともに、電子である」という考え方は、量子力学の始まりでもあった。アインシュタインは量子論の開拓者でもあるのだ。

そして、デジタル技術の進展には、半導体も欠かせない。これは量子力学によって大きく進んだ。

アインシュタインを例に引かなくても新しい技術は突然現れない。**すでにある技術の改良や組み合わせで登場することがほとんどだ。**

今から50年以上前の1956年に、すでに米民間航空管理局（CAA）はエアロカー・インターナショナルに空飛ぶクルマの運用を許可している。わずか6台しか売れなかったが、この時代に実用化に向けて挑戦した者がいたのだ。夢の医療と呼ばれる遺伝子治療も、1953年にDNA構造が発見された直後から構想されていた。

何がいいたいかというと、現代を見渡せば、未来は見えるということだ。そして、荒唐無稽と思われていたものの大半が実用化されている。

たかだか20年前、2000年代初頭までは、自動運転車は技術的に実現不可能ともいわれていた。将棋でコンピューターが人間に勝つのも難しいと思われていた。だが、現実はどうだろうか。もし実現するとしても、ずっと先のことと思われていた技術が実現している。**しかもアインシュタインの時代と比べると、加速度的に早くなっている。**

あなたの20年後を考えてみよう。窓の外を見渡せば、ドローンや空飛ぶクルマが行き交う世界は、あたりまえになっているはずだ。そこら中に監視カメラが張り巡らされ、いたるところにセンサーが組み込まれ、あなたの行動どころか健康状態まで把握されているだろう。

現在の時点で多くの人は信じないかもしれない。しかし、20年後は、スマートフォンのように誰もがあたりまえに利用しているはずだ。

そこでは、多くの人はドローンや空飛ぶクルマは便利だと思って使っているだろうが、そのテクノロジーはすでにもう過去のものになっている。今現在、20年後のドローンや空飛ぶクルマのことを考えている人に先見性があるのだ。

新しいテクノロジーが出てきたときに懐疑的になるのが人間の性だといったが、おそらくこの本を読んでいるあなたは今より未来を良いものにしたい人だろう。

そのためには、テクノロジーがどう世界を変えるのかを知っておかなければならない。テクノロジーに鈍感なのは大衆の証だ。テクノロジーの可能性を知り、そこに賭けた者だけが、大衆から抜け出せるのだ。

それでは、この章では、2040年のテクノロジーを見ていこう。

5Gとはそもそも何で未来の何を変えるのか

運転手のいない自動運転バス、ドローンによる配達、自分が入りたいと思うときに自動で沸かしてくれるお風呂、遠隔手術、前に立つだけで健康診断してくれる鏡……。２０４０年、これらは実用化されているだろう。こうした世界に向けて我々は走り出している。

そしてその基盤となる技術が通信だ。**「多くの情報を高速で伝えることで可能になる」技術は通信が土台である。**

そして、その基本になるのが「５Ｇ」だ。

現在大騒ぎされている5Ｇだが、ＮＴＴドコモやソフトバンクがＣＭで声高に叫んでいるのも聞いたことがあるだろう。

５Ｇとはそもそも何だろうか。

「ファイブジー」と読むのが一般的で、日本では２０２０年から実用化されている。

5Gは国際規格である。

無線の規格は、世界で周波数や通信方式の規格を統一している。これはあたりまえの話で、世界で統一されているからスマートフォンはアップルだろうがサムスン電子だろうが端末を問わないし、国内外どこからでも通信できる。

ではここから、5Gをわかりやすく説明するために、携帯電話を例として、通信の世界がこれまでどのように変わってきたか見てみよう。

通信の規格は、ほぼ10年ごとに次の世代に進む。

日本電信電話公社（現NTT）がアナログ方式の1Gを開始したのは1979年だ。あのショルダーフォンの時代だ。自動車電話もそうだ。

それから約14年後の1993年にデジタル方式の2Gが始まる。アラフォー以上の方はPHSの記憶があるかもしれないが、PHSが2Gである。

そして、2001年にNTTドコモが「W-CDMA」と呼ぶ方式で3Gサービスを開始する。ここからは多くの人の記憶にあるかもしれない。携帯電話のメールで写真をやりとりするのが不自由なくなったのもこの頃だ。

そして、2010年にLTE（4G）が始まった。

世代が代わると何がすごくなるのかというと、通信速度が速くなることと、情報伝達量が増えることだ。ここまでの30年で最大通信速度は約10万倍である。

そして、4Gから5Gへの大きな特長は、さらに高速になり、大容量化が進んだことにある。5Gは4Gの最大100倍の速さになる。

具体的な変化を挙げると、2時間の映画をダウンロードするときに、4Gだと5分かかっていたのが、5Gだと3秒ほどになるといわれている。かつては映画を自宅で見るためにレンタルショップで借りて見ていたのが、すでにもう家にいながら、3秒で見られるようになったのだ。いかに通信技術の進歩が、我々の生活を変えたかおわかりいただけるだろう。

こうなると、鮮明な映像をストレスなく配信・視聴できるだけではない。AR（拡張現実）やVR（仮想現実）の利用も進むだろう。**ポイントは、通信速度が速くなり、情報伝達量が増えるということだ。これが世界を変える。**

とはいえ、現在は基地局が限定されていることもあり、しばらくは4Gでつながり、時に5Gがつながるという状況だ。4Gという大海に5Gという島がいくつか浮いているイメージが正しい。

その5Gがさらに進化するのが6Gだ。これまでの歴史を振り返ると、2030年頃に実用化される。

図2 ｜ 通信は約10年ごとに次の世代に進む

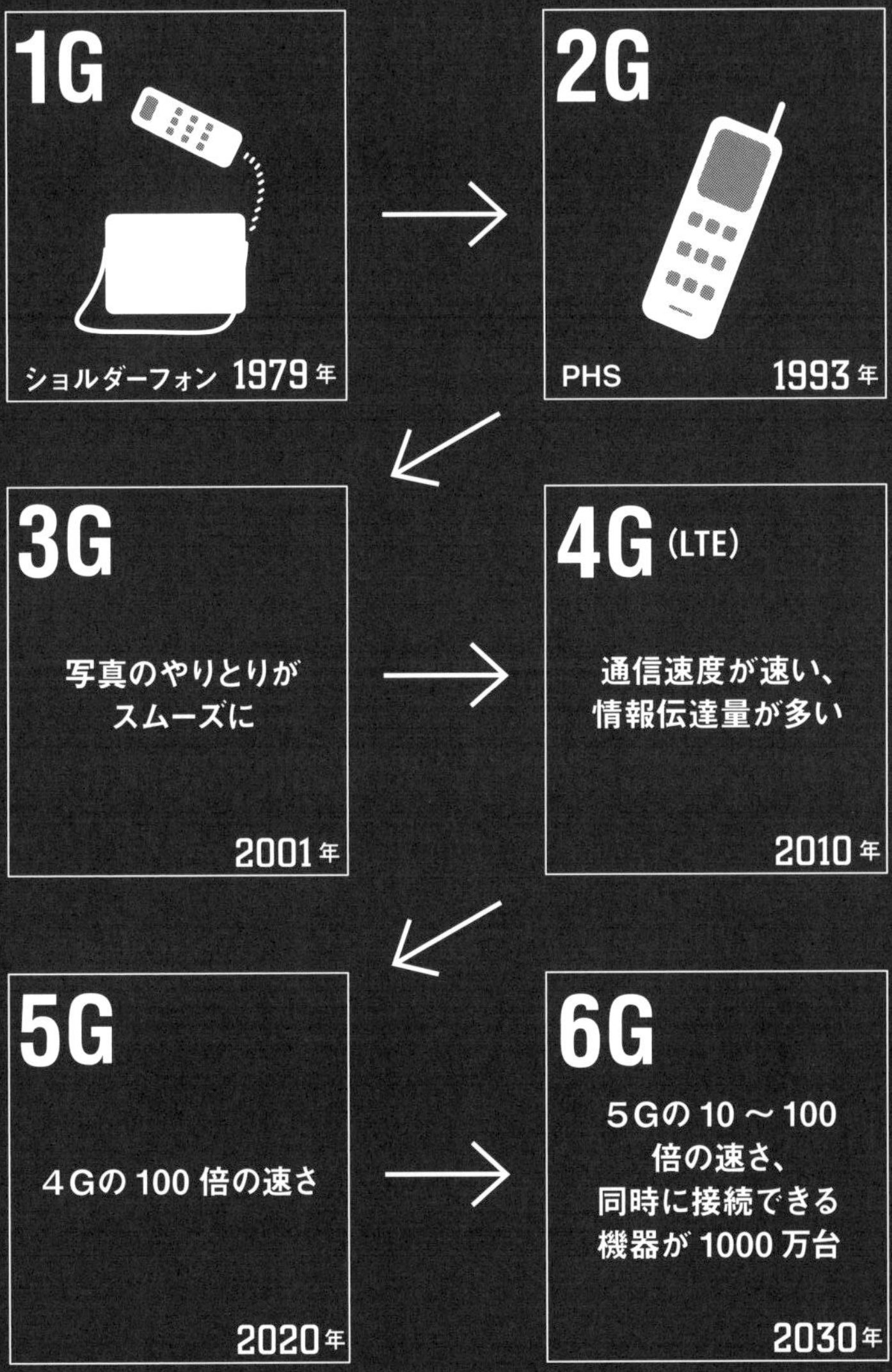

6Gのすごさは「早く」「大量の情報のやりとりができる」こと

6Gは、通信速度が5Gの10~100倍の速さになるといわれている。すでに2時間の映画のダウンロードが3秒だったのが、瞬きの間、1秒もかからない速さになるわけだ。

スマホなどモバイル機器の利用時に「ちょっと待つ時間」は我々を知らないうちにいらつかせている。意図したホームページがなかなか開かなかったり、通信が途切れたりで、心が穏やかでなくなった覚えはあるだろう。数秒短くなるだけでストレスは大幅に減るはずだ。でも、6Gのよさは、もちろんそれだけではない。

5Gでは、室内にある物体の正確な位置把握は簡単ではない。しかし、6Gになると、屋内で何がどこに置かれているかは、数センチ単位の精度で把握が可能になるといわれている。なぜなら、6G時代は屋内外のあらゆる機器がインターネットにつながるからだ。

1平方キロメートルあたりの同時接続機器数が、1000万台と5Gの10倍となるとの試算もある。1000万台の機器ひとつひとつがセンサーになることで、多くの情報が集まり、ネットワークによる検知も可能になる。これにより、さまざまなサービスの可能性が広がる。

ネットワークは地上だけでなく、衛星、航空機などでも使える。また、消費電力が減り、省エネにもなるともいわれている。デジタル機器の一回の充電での利用時間が、今の10倍になるのも夢ではない。

高速通信の6Gの登場とともに、ディスプレイやセンサーなどの映像機器も発達すれば、ライフスタイルそのものが変わる。VR（仮想現実）やAR（拡張現実）などは誰もが使うツールになり、家にいながら服を試着したり、モデルルームに行くというサービスが登場するだろう。

5Gと同じく6Gの通信環境も急に整うわけではないが、**2030年頃から登場するはずなので、2040年にはあたりまえになっている可能性が高い。**

6Gの概要がわかったかと思う。次の項目から、どのようなサービスが可能になるか詳しく見ていこう。

「低遅延」により、すべてのモノがインターネットに常時接続される

5G、6Gのすごさは高速化だけではない。「低遅延」が実現するともいわれている。

聞き慣れない言葉だが、これが最も鍵となる。「低遅延」で実現可能な技術を見ていこう。

「低遅延」とは、読んで字のごとく、「遅延」が低くなること。つまり、通信の「遅さ」が「少なくなる」――接続や、通信時のデータのやりとりが途切れなくなるのだ。

5G、6Gになると、通信が途切れる可能性は100万分の1以下になるため、安定した通信が絶対の条件になる産業で利用することができる。

つい20年前までは、インターネットにつながっていないのがあたりまえの状態で

あったが、20年後の2040年はインターネットにつながっていることが自然の状態になる。

それはパソコンやスマートフォンだけではない。身の回りのものがすべて、コンピューター並みの処理能力を持つようになる。コンピューターのチップ（半導体）が、それまでコンピューターとみなされなかったモノの中にまで入り込むのだ。

あらゆるモノにチップを埋め込むという発想は「IoT」と呼ばれるが、20年後には、身の回りのいたるところに何兆個という小さなチップが埋め込まれているはずだ。コンピューターは電気や水道のようなインフラになり、もはやコンピューターという呼称はほぼ消えているかもしれない。あたりまえになるからだ。

6Gで自動運転が可能になる

そうなると、どういう世界が実現するか。まず、自動運転だ。

公共のバスや電車などは、ネットワークに接続された自動運転になり、輸送や物流なども効率的になるはずだ。

車両ごとにカメラやレーダーなどを含んだ膨大なセンサーが働き、走行中に周囲の地図が自動的に生成されたり、衝突する可能性がある通行人や車両などの動きなども常時把握されたりしているだろう。

上空はドローンが行き交い、どこにでも欲しいものを配達してくれるはずだ。

これらは、高速で大容量のデータが通信できることと、通信が途切れなくなり、タイムラグもなくなることで可能になるというわけだ。

遠隔手術も現実になる。カメラとロボットを使って、専門医師が多くの救えなかった命を遠隔で救うはずだ。専門医師が不在だったという理由で、世界では1億件以上の手術が行えていないとの試算もある。

安定した大容量超高速通信は会議のあり方も変える。**クラウド経由で、リアルタイムに翻訳することも可能だ。**あなたが日本語しか話せなくても、遅延なく、世界の人と会話ができるようになるはずだ。

コロナ禍であたりまえになったテレビ会議も、技術的にはSF映画にかつて見られたような、あたかも目の前に人がいるかのような3Dのホログラムによる会話も可能になる。上司が3Dになってもうれしい人は少ないだろうが。

違う場所にいる人が同空間にいるように感じることができるようになれば、遠隔での教育も進むだろう。

バーチャルが日常になる

スマホの代わりに、欠かせなくなるアイテムはAR（拡張現実）用のメガネかもしれない。つまり、メガネにすべての情報が映し出される。

目的地までスマホ上のマップを見ながら右往左往する必要はなく、このメガネをかけるだけで、実際の道に順路が示される。どんなに方向音痴でも目的地につけるようになる。店は看板を出す必要はなくなり、店に入れば、メニューが写真つきで表示される。人の名前と顔を覚えなくても安心だ。会話を始めるや、相手の情報が表示される。メガネがイヤなら、同じ機能を持つコンタクトレンズができるかもしれない。

交通標識も、バス停にはかつてあったような時刻表もなく、バスが来れば、そのバスがどこに行くかも眼前に表示される。かつては運転手に尋ねる必要もあったが、聞きたくても運転手はいない。無人運転だからだ。

こうした夢のようなテクノロジーの裏側には、不都合な真実もある。24時間、常時接続下では現代以上に日々の行動履歴は蓄積される。ARメガネが普及すれば、首の動きなどより細かいデータが収集されるはずだ。街角には監視カメラが設置され、画像認識で、あなたがどこにいるかは常に把握されるはずだ。

いずれも空想に聞こえるかもしれないが、これらはすでに実証実験が行われていたり、開発に乗り出したりしている事例であり、荒唐無稽な話ではない。

2035年までには、5Gによってもたらされる経済規模は、12兆ドル（1ドル＝100円で1200兆円）以上にも達すると試算されている。★(1)

街中のあらゆる場所にカメラやセンサーが置かれ、モノにはチップ（半導体）が組み込まれる。そのチップから、メーカーや販売会社は人の利用状況や行動履歴などのデータを吸い取り、活用する。そうしたビジネスの輪が急拡大する。

チップがあらゆるモノに組み込まれると聞くと、想像がつかないかもしれないが、すでに、その端緒は開けている。身近な例が「RFID」だ。

★(1)　米半導体大手クアルコム調べ

瞬時にデータを把握するのも低遅延だから可能

ＲＦＩＤ（Radio Frequency IDentifier）とは、電波でチップを瞬時に自動認識する技術だ。

このチップはありとあらゆる製品につけることができる。サイズはいろいろあるが、最小のモノは指紋の溝に収まるほど小さい。

チップには、ロット番号などの製造情報が書き込まれている。だから個別認識が可能で、数メートル先からでも複数を同時に読み取れる。

たとえば、ファーストリテイリングが展開する「ユニクロ」や「ＧＵ」の店舗での自動レジを利用したことがある人もいるだろう。あれは、ＲＦＩＤのしくみをレジで使っている。一品一品をスキャンする必要がなく、購入商品を台に置けば瞬時に合計金額が出てくる。便利さを実感した人も多いだろう。

世界のＲＦＩＤの使用量は、２０１９年度で約１６０億枚と推計されるが、そのうちファーストリテイリングが1割弱を占めている。ただ、ファーストリテイリングが例外で、RFIDは部品や機械など企業向けの製品での使用が主で、日用品などの一般消費者向け商品での利用はいまだ少ない。

だが、RFIDのメリットは、生産者や販売者にとって使い勝手がいいところだ。たとえば、日用品ならRFIDを使えば、棚卸しはハンディー端末を持って売り場を歩くだけで完了する。段ボールも開封せずに、その付近にいるだけで中の商品の情報を一気に読み取れる。倉庫内のどこにその商品があるかもすぐにわかる。今まで人の力でやっていた作業がとんでもなく簡単に、時間もかからなくなる。

食品なら、消費期限が迫った商品も、自動で一括確認できる。**それぞれの履歴も確認できるため、売り場で手に取られたが戻されたなど商品の動きも追える。**売れない理由も分析できるのだ。売り場や商品の改善がしやすくなる。在庫の補充や販売動向を予測して、メーカーならば増産や減産にもすぐ動ける。

たとえば、ある食品に異物の混入が起こったとしよう。現在では、同じものをすべて回収しなければならないから、手間もコストも尋常ではなくかかる。すべての販売店を調べて、そこに何個残っているかを確認し、どのくらい売れたのかも調べて、それらすべてを全回収しなければならない。

しかし、RFIDがあれば、製造番号を調べるだけでよい。それさえわかれば、その製品が、今、どこに、どれくらいあるかがリアルタイムで把握できる。回収も早い。

なぜ、これほど便利なものが普及していないのか疑問に思う人もいるだろう。

それは、コストだ。現時点で、RFIDは一枚10円程度かかる。単価が低い食品や日用品では、到底採算が合わない。また、金属、液体は電波を遮断し情報を読み取りにくくするため、たとえば、缶詰、飲料、洗剤などにはそのまま使えないという問題もある。

だが、現在の問題は、ニワトリと卵の関係だ。大量につくれば、コストはもちろん安くなる。普及が進めば解消されるだろう。量産が進めば、一枚1円程度まで下げられるという研究もある。金属や水に弱い弱点を補うチップの開発も進んでいる。時間がたてば、大した問題ではない。

むしろ、日本が2040年までに絶対に解決できないのは、のちの章で詳細を述べるが、少子高齢化だ。これだけは確実に来る未来だ。

人手不足はもう待ったなしだ。**物流や生産、販売といった生活維持に欠かせない**

エッセンシャルワークの人手不足を解消するには、もうテクノロジーしかない。

ＲＦＩＤは、最小だと指紋の溝に収まるサイズだといったが、アメリカの研究者の間ではスマートダストと呼ばれていたこともある。つまり粉末のように小さく、どこにでも存在するチップという意味だ。

もちろん、データをどう使うか、意味づけするかという課題はあるが、未来を見据えて、チップが埋め込まれたモノから情報をいかに吸い上げるかの枠組みづくりが、日本の今後を左右するだろう。

家中が便利な家電でいっぱいになる

「こんな夜中にチョコレートを食べるんですか？」。あなたがダイエット中だったら、冷蔵庫にこう警告される日はそう遠くないだろう。

2040年、冷蔵庫は、ただモノを冷やすためのものではない。中に入っているものの中から、食事のメニューを提案してくれたり、健康を管理してくれるようになっているかもしれない。

もちろん、食品の切れかけを把握し、あなたの生活リズムに合わせて自動発注するような、冷蔵庫本来の機能を越えて、便利になっている部分も大きいだろう。

2040年は、家の中もこれまで以上に「つながる」ことになる。

家電とインターネットがつながるという想像は、「スマートスピーカー」が普及しつつある今、簡単だ。

アマゾンのスマートスピーカー「アレクサ」では、電球から調理家電や自動車、セキュリティーシステムまで多種多様な機器を操作でき、10万種類を超す機能が使える。

２０１０年の時点で、インターネットにつながった機器は、全世界であわせて１２５億台存在していた。現在の２０２０年には５００億台規模になりそうだ。これが、２０４０年には10兆台になるとの予測がある。文字通りケタ違いの増加だ。

これをひとりあたりの機器数で考えると、２０１０年はインターネットにつながった機器はひとりにつき2台である。パソコンと携帯電話くらいだ。**それが、２０４０年には１０００台になる。**もはや家中の家電や自動車など使うモノ、触れるモノすべてがネット接続されている状況といっても過言ではない。

その時、家電がどのような機能を持つようになるかははっきりといえない。２０００年時点で、専門家ですら、２０１０年代のiPhoneの爆発的ヒットを予言できなかったのだから20年先は想像しにくい。

ただ、明らかなのは、顧客ひとりひとりに提供されるサービスが、確実にその人に合うように、よりパーソナライズされていることだ。日常生活で使うものだから、個人が使いやすいようになるだろう。個人の情報がそこまで読み取れる環境になるとい

図3 | インターネットに繋がっている機器の数

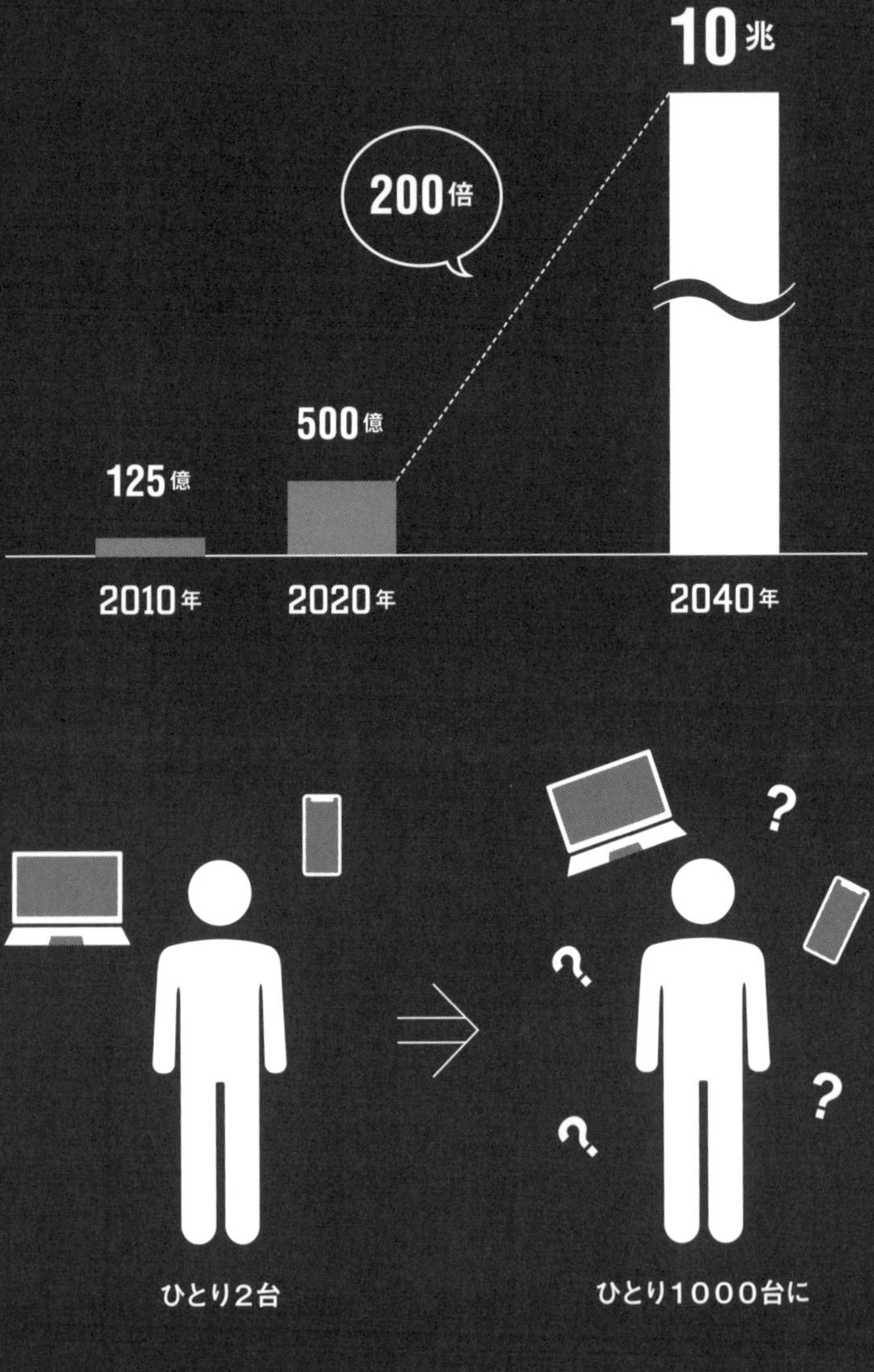

うことでもある。

すべてのモノがネットにつながると、機器同士の情報のやりとりも進む。ちなみに、2010年にインターネットに接続されていた125億台の機器のデータのうち、機器間情報が活用されたのはわずか0・5%だった。もちろん、その膨大な情報を解析する容量がないからである。データの宝の山は眠ったままなのだ。しかし、2040年は通信の高速大容量化でデータの収集、分析、活用が進む。情報をとってくる接続機器も天文学的に膨れ上がるのだから間違いない。

機器間データを活用したわかりやすい例が、「スマートホーム」での暮らしの定着だ。スマートホームとは、家じゅうのさまざまな家電や設備がインターネットにつながった、IoT化した家だ。

2020年の今でも、洗剤やトイレットペーパーなどの日用雑貨なら、アレクサにお願いをするだけで発注できる。未来には、もちろんより幅広い範囲のものが、驚くような簡単さで頼めるようになるはずだ。

たとえば、テレビでみたアイドルが着ていたニットが欲しければ、「昨日のドラマで○○が着ていたニットが欲しい」と伝えれば、それだけで探してくれるだろう。その上、あなたの普段のＳＮＳの画像を分析して、「似合わないから買わない方が良い」などとアドバイスしてくれるはずだ。

ネット接続されている家電は、ディスプレイでの操作や音声入力になる。だから、もうスイッチやボタンはなさそうだ。日常での反復する作業や日用品の注文は、操作すら要らなくなっているだろう。

つまりこうだ。あなたが、朝起きると必ず枕元の照明をつけ、カーテンを開けて、ソファーに座りテレビをつけてニュース番組をみていたとしよう。これを繰り返していると、あなたが起きただけで、照明がつき、カーテンも自動で開くようになる。あなたがテレビの前に座れば、好んで見ているニュース番組が自動に映し出される。あなた以外の人が座ってもニュース番組は映らない。

住人の行動をＡＩが学習するから、予測して勝手にすべてを行ってくれる。家中に配置されたセンサーがあれば可能だ。これは間違いなく、スタンダードになる。

遠い未来のことに映るかもしれないが、じつは、これらの機能を搭載した「ＡＩマンション」はすでにアメリカで商品化されている。

いちど始まってしまえば、そういった機能はどんどん拡充していく。朝、風呂に入る習慣があれば自動で風呂が沸くし、水温やシャワーの温度も指定せずにあなた好みに設定されるはずだ。遠くない将来には、食卓に人が座ったのを察知し、タイマーを設定しなくてもコーヒーがいれられるだろう。

すでにインターネットに接続したコーヒーメーカーは登場している。粉や豆の残量を測定して自動的にオーダーを済ませてくれるしくみが実用化されているのだ。人が操作しなくても、人の行動を先読みした家電が一般的になる。決して夢物語ではない。

料理も全自動化が進むはずだ。

スマホからレシピを送ると、調理の一部を自動的に行ってくれる技術がすでに実用段階なのを知っているだろうか。「切る」「味つけする」など工程ごとに自動化できる機器が増えれば、最終的に人がいなくても料理はできあがるようになるはずだ。

画像認識とセンサー、通信を利用すれば、洗面所の鏡の前に立つだけで、表情や顔色、心音などで健康も診断してくれるようになるだろう。2020年の時点で、うまく歯を磨けているか、どこを念入りに磨くべきかを教えてくれる歯ブラシが開発中のことを考えれば、虫歯の有無も診断できるようになっているはずだ。

現在は自動運転のちょうど過渡期

こういう未来を思い描いたことはないだろうか。道で待っていると、無人の車があなたの前に到着し、それに乗ったあなたは、座席でのんびり目的地に着くまで過ごすという未来だ。

「自動運転技術」は、産業界のみならず多くの人が関心を寄せる。自動運転も、もちろん低遅延で可能になる。トヨタ自動車やホンダなどの既存の自動車メーカーだけでなく、米グーグルなどIT企業も公道でのテストを重ねているのをニュースで目にした人も少なくないはずだ。

自動運転は、レベル0から5の6段階に分かれている。レベル0とは、ドライバーがすべての運転操作を実施する状態だ。最高のレベル5は、条件なしに、場所を問わず、システムがすべての運転作業を担う。そして、現在、多くの自動車メーカーの実用段階はレベル2からレベル3にある。

レベル2とは、前後・左右の運転操作の一部をシステムが行う段階だ。すでに、自動ブレーキ（衝突軽減ブレーキ）や、前の車の速度に合わせて車間距離を維持してくれるアダプティブ・クルーズ・コントロール（ACC）、車線の中央付近を走るようにする車線維持支援システムなどが搭載された車に乗り、その便利さを感じている人も多いだろう。

これが、レベル3になると緊急時に運転操作をする必要はあるものの、高速道路など特定の場所ではシステムがすべての運転作業をしてくれるようになる。逆にいえば、不測の事態が起きなければ、ドライバーは何もしなくても良いことになる。

法規制などの問題はあるが、すでにもう技術的には、たとえば高速での運転を車に任せ、ディスプレイで映画を見るのも可能だし、仕事のメールを返しながらでも車は走行できることになる。

つまり、レベル2とレベル3が、運転するのが人間か、システムかの境目になる。まさに「自動運転」への過渡期にいま我々はいるのだ。

ちなみに、レベル4は緊急時も含めて、高速道路など一定の場所でシステムが問題なく運転する状態、そしてレベル5は最初に述べたように場所の限定なく、システムがすべてを操作する段階だ。

２０４０年に、新車でのレベル３以上の自動運転システム車は、４１１２万台になり、世界の新車の29・４％を占める。★〈2〉２０３０年以降、レベル４が普及し、２０４０年には完全自動運転の「レベル５」も実用化しているとみられる。

★〈2〉 富士キメラ総研調べ

すでに未来を変える技術はチラホラ実用化されている――ライダー

こうした自動運転の実現に向けて、欠かせないのがセンサー類だ。

自動運転に大切なのは、もちろん周辺の構造物、まわりを走行する他の車両や歩行者などを正確に認識することだ。車にはカメラや、レーダーなどを含んだ膨大なセンサーが搭載され、それを使って走行中に周囲の地図を自動的に生成する。もちろん、衝突する可能性がある通行人や車両などの動きも常時把握する。

センサーのひとつにミリ波レーダーがある。これは、マイクロ波である電波が、まわりにあるものに反射して戻ってくるまでの時間を計測することで、対象物までの距離を計測できる技術だ。正確な物体の把握は得意ではないが、雨や雪など悪天候でも影響を受けにくいという特性がある。

ミリ波レーダーは、じつは現在でも自動車に搭載されている。

大衆車一台あたりに3個、高級車には6個といわれている。自動運転になると、これが15個は搭載されるといわれている。センサーにはさまざまな種類があり、それぞれ一長一短があるので、こういったセンサーをいくつか組み合わせ、安全な自動運転を実現する。これだけみても、いかにセンサーの塊になるかがわかるだろう。

その肝となりそうなのが、レーザーの反射で距離を測定する「ＬｉＤＡＲ（ライダー）」だ。これは「Light Detection and Ranging」の略語だ。

しくみは先ほどのミリ波レーダーと似ており、レーザー光線をセンサーから発して、モノに当たってからセンサーに戻ってくるまでの時間で距離を計測する。ミリ波との違いは、波長の短い赤外線のレーザーを使っている点だ。**ミリ波レーダーに比べて、小さな物体も検知できるのが特徴といわれている。**

このライダーはコストが高いのがネックだ。構造が複雑なものは数百万円する。なので、今のところは、実験車両や地図データを取得するための作業車両などにしか搭載できない。

ただ、最近になり参入企業が増え、ライダー専業のスタートアップだけでも世界に１００社程度生まれている。つまり、それだけ有望なテクノロジーだということで、今後、小型化低価格化は急ピッチで進むだろう。

こう書くと、あまり実感が湧かないかもしれないが、このライダーはあなたにとってじつは身近な存在だ。ライダーは２０２０年10月に発売された「iPhone12」のＰｒｏシリーズに搭載されている。「12」のカメラ性能の高さに驚いた人もいるだろうが、その一因はライダーだ。

「12」の特徴は、人物と背景の境界の鮮明さだ。これは、空間の３Ｄオブジェクト（立体物）を個別に識別することができるようになっているからだ。床、壁、天井、窓、ドア、椅子、机などを、それぞれ個別のオブジェクトとして認識しているのだ。

この、人物や物体の位置を正確に判断できるライダーの技術があれば、これから、写真やＣＧの合成も違和感なくできるようになるし、ＡＲもより身近になるだろう。

ライダーは、一部メーカーの業務用掃除ロボットにも搭載されている。

スマホに搭載されているライダーと自動車向けではしくみが一部異なるが、基本性能は同じだ。**「新しいテクノロジーは突然現れない」と述べてきたが、ここでも、すでに自動運転の要素技術は我々の身近に転がっている。**

そして、このようなセンサーを搭載した自動運転車が走るのは地球だけではなくなっているだろう。

トヨタ自動車はＪＡＸＡ（宇宙航空研究開発機構）やＮＡＳＡ（米航空宇宙局）、

ＣＮＳＡ（中国国家航天局）、ＥＳＡ（欧州宇宙機関）などが２０４０年を目標に検討する月面基地建設プロジェクトに参画している。自動運転技術を使って、月面の移動手段などを提供する方針だ。

空飛ぶクルマも2040年には可能になる

自動運転車は既存の自動車の延長だ。しかし、2040年には人類が長く望んでいた乗り物が我々の眼前にお目見えしているはずだ。20世紀のアニメによく登場した「空飛ぶクルマ」だ。

このクルマは、電気エンジンで浮力を得て垂直離陸する。だから滑走路が必要なく、電動で自動運転するため、騒音も小さい。

夢物語に聞こえるかもしれないが、米ウーバーテクノロジーズや米ボーイング、欧州エアバスなど世界の名だたる企業が開発に参入している。米モルガン・スタンレーは2040年までに空飛ぶクルマの全世界の市場規模が1兆5000億ドル（約150兆円）に成長し、世界全体の国内総生産（GDP）の1・2%を占めると予測している。

ただ、技術的に可能になっても、一足飛びにそうした世界が訪れないのも事実だろう。法規制やコストの問題があるからだ。

現在、ドローンですら航空法の規制もあり、普及しているとはいいがたい状況だ。人が乗り空を飛び交うとなれば、予期せぬ衝突をいかに防ぐかなど、安全対策はドローン以上に慎重になる必要がある。

とはいえ、人手不足や地方の疲弊の解消には不可欠になっているだろう。たとえば、2040年は、地方では医師不足が深刻になっているはずだ。高齢者だらけで医療需要はあるものの人口そのものは減少にあるため、病院の経営は成り立たず、閉鎖や撤退が相次ぐだろう。オンライン診療も普及しているが、すべてをカバーできるわけではない。そうした際に医師が乗ったクルマが空を気軽に飛び回れれば、高齢者だらけの集落にも医療サービスが届く。

「空飛ぶクルマ」は日本では少子高齢化という確実に迫り来る課題を解決する大きなツールになるはずだ。

「コンビニやスーパーは無人店舗になる」

日本の総人口は、2019年で1億2616万7000人(10月時点)。9年連続で減少している。2040年には1億1000万人程度となる。20年で1500万人以上減るわけだ。その内訳をみると愕然とするだろう。

働ける人(生産年齢人口)の減少も加速し、2040年には約6000万人になる。65歳以上の高齢者は3900万人近くとピークに達し、3人にひとり以上が「老人」になる。

街の景色は一変する。慢性的な人手不足だ。その象徴が小売りの店舗だ。コンビニやスーパーも無人店舗がスタンダードになるはずだ。

すでに、小売店舗の無人化への助走は始まっている。

アメリカではアマゾンドットコムが、2018年初め、シアトルの本社敷地内に初のレジなしコンビニ「アマゾンゴー」を開設した。今では20店舗近くを展開する。

図4 | 日本の総人口

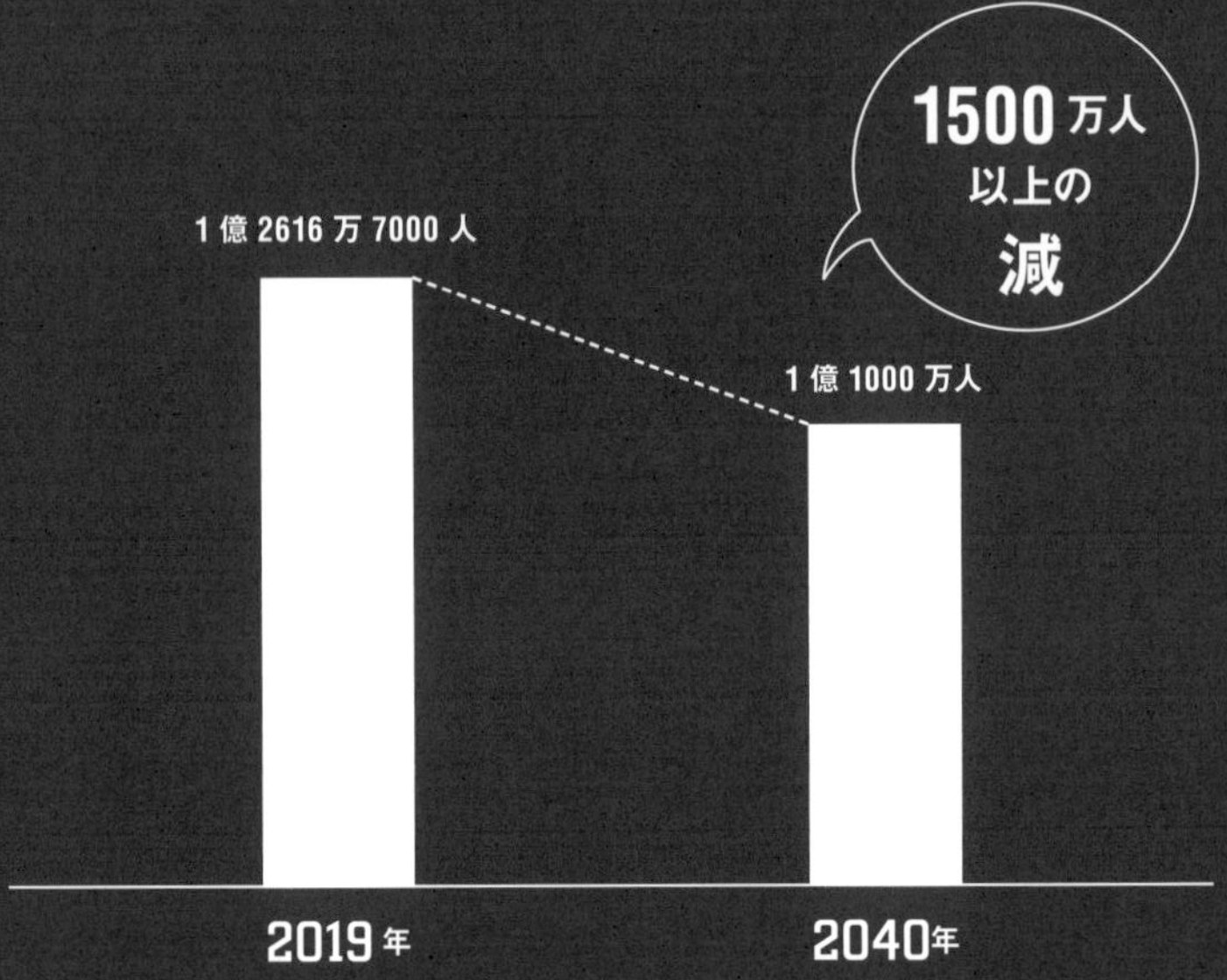

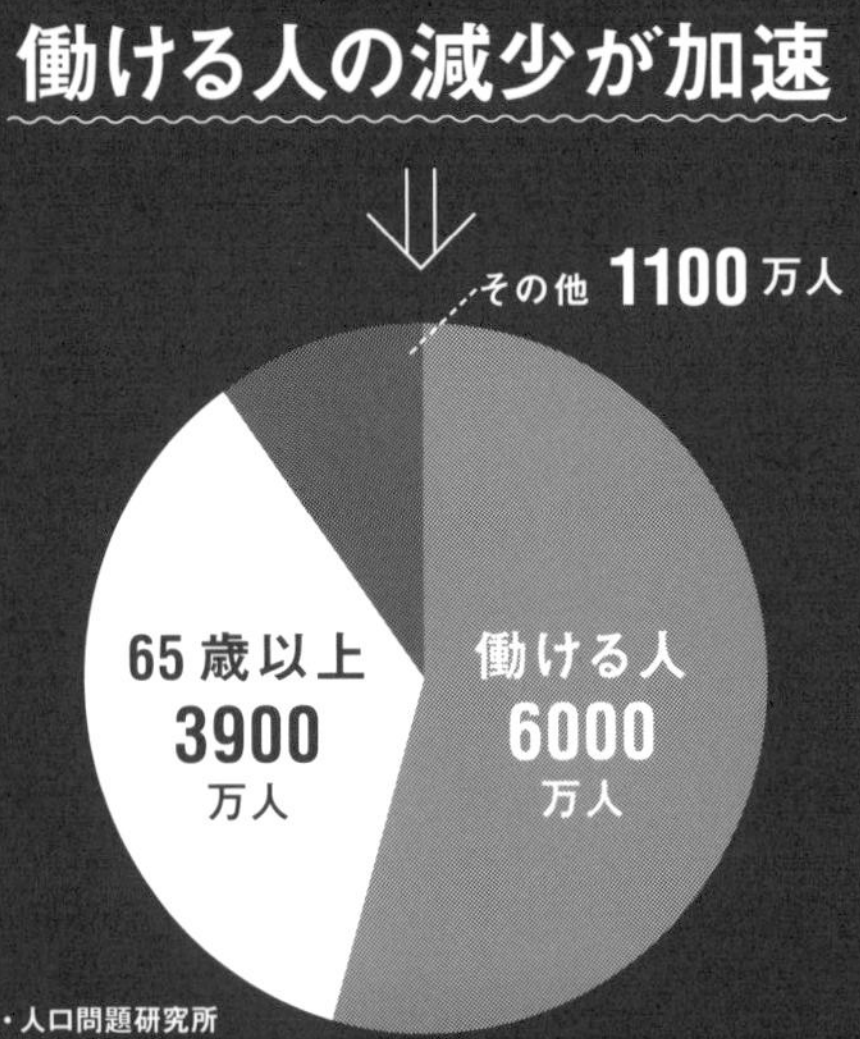

出典：国立社会保障・人口問題研究所
「日本の将来推計人口」

アマゾンゴーのしくみはこうだ。まず、店舗の入り口に改札口のようなゲートがあり、事前に携帯にダウンロードしたアプリのコードをゲートでスキャンし入店する。この段階で、システム上で客は店内での行動が追跡される。カメラと棚に設置された重量センサーを使用し、客がどの商品を棚から取ったかを特定する。客は、自分の持っているバッグに、購入する商品を入れるだけだ。買物が終了してゲートを通過すると、自動的に課金されアプリに通知される。

アマゾンは自社のみならず、アマゾンゴーのしくみを他の小売店に売り込もうと躍起だ。

アマゾンと敵対する小売店舗は、この提案にはもちろん消極的だが、店舗の無人化には舵を切らざるをえない。アマゾンの動きに触発され、店で商品を取り、レジを通らずに退店する新しい方法を提案する企業が続々登場している。

無人店舗はいずれも、アマゾンゴーと構造は一緒だ。客にスマホアプリで会員登録や決済方法の登録を事前に済ませてもらい、店舗のカメラやセンサーで「客は誰か」「客がどの商品を持ち出したか」などを自動認識して精算する。

日本でも、ローソンが客が店から商品を持ち出すだけで自動決済できる実験店舗を、２０２０年に始めた。

問題はコストだろう。

アメリカでは、数年前にセブン‐イレブンほどの大きさの店舗を改装し、カメラや高性能コンピューターを設置するのに数百万ドルかかるケースもあったという。だが今や同サイズのストアの改装費用は、カメラの台数やコンピューティング能力、使用される機器の種類によるが、10万～30万ドル程度で済むという。たった数年でこうなのだから、需要が増えればさらに、機器やシステムのコストダウンはできるだろう。

無人店舗の研究をするならキオスク

いつの時代も、未来のヒントは足下に転がっている。じつは、無人店舗はコストをそこまでかけずつくれることを、多くの日本企業は見落としている。

なぜならば、東京では実験ではなく、無人店舗がすでに何年も前から稼働しているからだ。アマゾンゴーに匹敵する無人の小売りのシステム、それはキオスクだ。

キオスクでの行動を思い出してみよう。商品を勝手に取って、それを店員に伝える。そのあと、Suicaやパスモでピッとやるだけで決済が完了する。購買の流れでは、店員はほとんど何もしていない。

店員は存在するが、決済のためではなく、品出しのための役割だ。

アマゾンゴーも「無人店舗」といわれてはいるが、人は必要だ。決済が無人なだけだ。

キオスク同様に誰かが品出しをしなければいけないし、店内には客の困りごとに対応する人もいるし、総菜をつくる店員もいる。単純に人数の比較ならば、キオスクの方が無人度が高い。

キオスクとコンビニは、扱っている商品がかなり重なっている。いわば「ミニコンビニ」でありコンセプトは大きく異なっていない。

アマゾンゴー型の無人コンビニにしたところで、品だしがある以上はキオスクの延長線上にヒントがあるかもしれない。

当然ながらアマゾンゴーの開発者であるアメリカ人たちは日本のキオスクを使ったことはない。そして、日本のコンビニ会社はアメリカしか見ていない。足下にビジネスのヒントがあるのに、わざわざアメリカの真似をする。いつもの光景だ。

無人店舗のメリットは、万引きが防止できること

キオスクのシステムで人手不足は解消できるかもしれないが、じつはテクノロジーを使った無人店舗は人手不足以上に店舗側としては経営上のメリットが大きい。万引きが防止できるのだ。これがバカにならない。

日本における書店や文具を扱う企業の万引きの被害額は、NPO法人「全国万引犯罪防止機構」によると売り上げの約0・5%とみられるという。「小さい本屋は、万引きをされると簡単に倒産する」というのを聞いたことはないだろうか。

書店の儲けを示す営業利益率（売上高に対する営業利益の割合）は、トーハンの『平成30年版書店経営の実態』によるとわずか0・02%にとどまる。つまり、売り上げが年1億円の書店の場合、万引き被害が50万円あるのに対し、儲けは2万円に過ぎないのが実情だ。利益率が低すぎると思われるかもしれないが、これは書店全体の平均だ

からだろう。

とにかく、いかに万引きが小売りの利益を阻害しているかがわかるだろう。

これが前述のようなセキュリティーが強固な無人店舗が導入され、万引きがなくなれば大きく利益率が改善するはずだ。もちろん、零細個人主では設備投資が難しいだろうが、資本力のある大手は被害額も大きい傾向にあるから、効果は高い。

2040年、有人店舗の形態も大きく変わるだろう。これもアマゾンのテクノロジーが大きく変える可能性が高い。

今、アマゾンは人間の手のひらをクレジットカード代わりにしようとしている。指紋認証と同じように、来店者の手のひらを、クレジットカード情報と連携してカードやスマートフォンを取り出さずに決済できるしくみだ。具体的には、静脈ではなく、手のひらの幅や指の長さなどで認証するもののようだ。

最初に、これらの情報を登録して、決済用のクレジットカードと紐づければ、あとは、スキャナーに手のひらを一瞬かざすだけで決済が済む。その時間は、わずか0・3秒というから、カード決済でわざわざカードを財布から取り出す手間などを考えるとケタ違いに利便性が高まる。

現在は複数のクレジットカードを提供する企業との話し合いを進めている。まだ社内の実験段階だが、自動販売機の精算を手で行っているとの報道もある。

アマゾンは、グループ会社のスーパーマーケットであるホールフーズの店舗での導入を皮切りに、システムの外販も視野に入れる。ファストフードなど決済作業が多い小売店にこのシステムを売り込む計画だ。すでに、2018年に米国特許商標庁へ特許の申請資料を提出していることからも、本気度がうかがえる。

いずれにせよ2040年、我々は手ぶらで店舗に買い物に行くのが主流になっているだろう。未来のあなたは、現金を手にすることはほとんどなくなっている。「昔、お札というものがあって」と子どもや孫に教えなければならないかもしれない。

中国と監視カメラと個人データ

監視カメラと聞くと、警戒する人が多いだろう。しかし、監視カメラは本当に悪なのだろうか。

日本を含めて民主主義国家では、過度な監視カメラの設置は人権の侵害だと敬遠する向きもあるが、2040年、監視カメラは生活を便利にし、治安維持のためにも不可欠なインフラになっているはずだ。

中国が監視カメラ国家であるのをご存じの人は多いだろう。中国の一部の都市で設置が進む信号無視防止システムがその象徴だ。

このシステムは、横断歩道が赤のとき、動いている物体を感知すると、写真と動画を自動的に撮影する。そして、これらの画像を自動的に解析し、公安が保有する身分証の顔写真データと照合し、違反をした歩行者の名前、住所、勤務先を特定する。そのあと、警察当局が電話などで違反者に通知し、罰金を科すのだ。勤務先などにも通知される。

それだけではない。交差点近くに設置された大型モニターに、信号無視した人の顔写真も大きく映される。

赤信号を渡っただけなのにと思われるかもしれない。信号無視で街頭モニターに顔が晒され、職場にも通知された日にはお先真っ暗な感じもするが、これは大げさにしても、事故や犯罪の防止には強い抑止力があるだろう。

監視カメラは逃亡中の犯罪者の特定にも役立つ。システムのおかげで、江蘇省無錫市では、暴力事件の逃亡犯の所在が判明した。市中のカメラで撮影されてから約30分後に逮捕されたというから、治安の向上に役立っている。

ここで、ちょっと話が逸れるが、中国の「社会信用システム」をご存じだろうか。国民を監視カメラなどを駆使してスコアで評価し、そのスコアに応じてメリットデメリットを設けて、ひとりひとりの行動を管理するために中国政府が進めているシステムだ。

モバイル決済の進んだ国といえば中国である。大体、アリババ集団かテンセントのアプリを通じてであり、モバイルの決済比率は9割を超える。これは偽札があまりにも普及していたことが背景にある。
アリババとテンセントはこの膨大な取引履歴を活用して、個人の信用レベルをスコアリングするサービスを提供している。それをもとに、各企業は顧客に合わせて、それぞれサービスを提供する。スコアが高いと、デポジット不要でレンタルサービスやシェアリングサービスが利用できたり、商品やサービスに対して後払いが可能になったりと、利点がある。

たとえば、アリババが運用する「芝麻信用《ジーマシンヨウ》」は、ネット通販の取引履歴や職業、クレジットカードの支払い状況からソーシャルメディアでの言動までをもとに、個人を３５０～９５０点でスコア化している。

低い得点の人や、サービスを利用しない人は、すでに就職や結婚で不利になる事態になっており、このような「人のスコア化」は社会の常識になっている。

特筆すべきは、こうしたＩＴ企業のサービスが、行政と強く結びつき始めている点だ。想像しづらいかもしれないが、共産主義なので、個人情報のデータを国が使える。この評価システムも国が使っているのだ。

すでに上海など20以上の地方政府で、個人の評価システムが始まっている。就業情報、社会保険の支払い状況のほか、刑事罰や行政処分の有無を判断材料に個人の評価を5段階に分けるのだ。**大手企業が構築したスコアリングのしくみに、地方政府が持つ個人情報をのせて判断する。**

蘇州市では、表彰や献血、ボランティア歴も評価の加点対象になる。そして、高得点者には、シェア自転車の利用時間延長や図書館で借りられる書籍数が増えるなどの利点がある。一方、たとえば光熱費を滞納したりするとポイントが下がる。予約したレストランやホテルの無断キャンセルも減点対象になるから、これを聞いた日本の飲食店経営者などは羨ましいと思うかもしれない。

中国政府はこういった「社会信用体系で国民を評価すること」を打ち出しており、大手企業から入手した顧客データに加え、街中の顔認証カメラや、インターネット上や現実の世界での行動から個人を評価する「社会信用制度」の構築を急いでいる。将来的には減点や懲罰を科す範囲を拡大するだろう。

それは我々日本人からすると不気味に見えるかもしれないが、一方で、治安のよさにつながるのではという素朴な感想を抱く人もいるだろう。

実際、中国では「スコアに影響するので悪いことをすることは損」という感覚が広まりつつある。信用スコアは、暮らしやすい社会の実現をサポートすると考える人も増えている。スコアが高いと優遇されるからだ。監視カメラがあるから信号を守る。

スコアが悪くなるから、ずるをしないし、お店の無断キャンセルをしない。最初はシステムとして強制されていても、なじめば、それがあたりまえになる。

2040年には監視カメラだけでなく、街中や家中の機器にセンサーが埋め込まれることは前述したが、中国では、そうした機器からも人の行動履歴が管理されるようになるだろう。結果的に、日本人やアメリカ人より中国人の方が平均すれば公共意識が高くなる可能性もある。

おそらく日本も監視カメラの設置やデータの活用は進むだろうが、人権や個人情報保護が壁になる。中国のようにトップダウンで一気には進まないので、監視カメラが整備されるエリアとそうでないエリアが二極化されるだろう。データの活用も限定的で緩やかになるはずだ。

結果として、非常に治安が良く公共意識の高い地域と、そうでない地域が鮮明に分かれるだろう。「監視カメラは気持ち悪い」という際には、そうした二極化する未来が来かねないことも認識しておくべきだ。

日本の過疎化を救うのは5Gでの診療

体調が悪いと思い病院に行くと、受付にはいつものロボットがいる。「どうしましたか?」と尋ねられ、対話する。今日はほとんど待たずにして、検査室に案内された。誘導するのもロボットだ。ロボットは対話の結果で、治療の順番や治療方法などの優先順位を判断すると聞いたことがある。重病なのだろうか。

検査の後に診察に入ると、医師の前のモニターに、検査結果だけでなく、過去の受診歴や処方歴などが映し出されている。それを見ながら医師が問診を始め、得た情報を登録すると疾患の候補が並ぶ。疾患名をクリックすると、最新の診断に基づいた所見や確認すべき事項が表示される。その情報に沿って問診が進み、処方薬の候補も提示される。どうやら重病ではない、ただ、今日は病院が空いていただけかと安心する

——2040年には、こうした病院での光景が日常になっているだろう。

もしかしたら、2040年には、病院に行かなくてもいいかもしれない。医療は最も変化の激しい領域だ。通信技術が高度化し、高速な上に途切れにくい5G回線の利用が進めば、オンライン診療の環境も整うだろう。

現時点では、オンライン診療は対面診療を補助するものとしてしか存在しておらず、診られる病気も生活習慣病など慢性疾患に限られている。

しかし、地方の過疎化が絶対にとまらない今、田舎の医師不足は必至だ。**過疎化がオンライン診療を後押しするのは間違いないのだ。**この流れは以前からあった。加えて、新型コロナウイルスの爪痕の深さから、「直接対面せずに診断する」という取り組みは加速するだろう。アメリカや欧州ももちろんだ。

家電やIoTの項でも説明したが、街中や家の中がすべてネットワークにつながった状態になれば、家の中のあらゆる機器が健康状態や健康維持に関する情報を24時間休むことなく集めることが可能になる。

医師がそれらのデータを活用できれば、患者は医療機関に足を運ぶ必要は現在よりも格段に少なくなる。**社会のデジタル化の整備が、オンライン診療を前倒しで実現することになる。**

医療技術はＡＩのおかげで格段に進歩する

オンライン、オフラインにかかわらず、２０４０年の診療現場であたりまえに活用されているのがＡＩ（人工知能）だ。なお、この項目から92ページまで紹介している医療の未来は『未来の医療年表 10年後の病気と健康のこと』（奥真也著、講談社現代新書）に依拠している。詳しくは、奥真也氏の著書をぜひ手に取ってほしい。

医師が寝るのを惜しんでどんなに勉強したところで、知識量ではＡＩに勝てるわけがない。

「臨床経験30年以上のキャリアを持つベテラン医師でも、自分で直接診た患者の総数となると１００万人にはなりえません。その点ＡＩの場合は、自分より何世代も前まで遡って、すべての医師の知識と経験を自分のものとして持つことになるわけですから、人間はどうあがいても勝てそうにありません」と前述の奥氏はいう。

ＡＩと人間、どちらの精度が高くなるかは一目瞭然だろう。

わかりやすい症例や典型的な経過をたどる患者については、最新のデータに基づき、AIが素早くかつ見逃しなく診断してくれるはずだ。

たとえば、画像診断の世界ではすでにAIが人間を凌駕している。X線写真やCT、MRI、超音波画像などの診断の精度は人間がどうあがいてもかなわない。

脳動脈瘤を見つける画像診断のソフトがあるが、これが動脈瘤を発見した割合は、開発段階のデータですら77・2％だ。これは、人間の医師より約10ポイントも高かったという。

このように技術的には、すぐにでも現在の医療に置き換え可能な状況ではある。

そうなると、診察室内での医師の役割が、AIなどの新技術でできるようになるのも時間の問題だろう。診察の際の仕草や声色、表情からも定量的に解析できるようになっているかもしれない。「たとえば、患者さんの顔色を見るだけで症状を把握するのはベテランの医師でも難しいことですが、近未来の診察室では、患者さんの顔写真を撮影すればAIがその人の状態を自動判別してくれるようになるでしょう」と奥氏はいう。

ちなみに、患者が望むかどうかは別問題にして、典型的な症例の外科手術は、AI

の判断をもとにロボットが実行することも技術的には可能となるだろう。

ＩＣＵで管理している患者も、常時モニタリングができる。センサー技術も高度化すれば、わずかな変化から症状の悪化を予測できるようになり、重篤化する前に対応できるはずだ。

救急で搬送されてくるような、診断に猶予がない患者も、既往歴や過去の診療歴から、突然症状があらわれたのか、慢性疾患が悪化したものかも判断してくれるだろう。複数の患者を受け入れているときに起きがちな判断の遅れなどを事前に避けられる。冒頭の、未来の光景でのロボットのやりとりでも、診察を待っている間に容態が急変するような事態があれば、早期に対応してくれるはずだ。

ただ、ＡＩの診断で誤診が起きた場合の責任をどうするかなど法体制の不整備もあり、すぐに全面的な運用はできない。「日本で医師法が制定されたのは１９４８年。（中略）端的に言って、ＡＩが医療のさまざまなプロセスに入りつつある時代に、コンピューターの存在など全く意識もされなかった頃に生まれた法律が用いられているのです」（同前より）。こうした改正も当然必要になるだろう。

薬もＡＩで効率よく処方できる

医療データベースが蓄積され、ＡＩが全面的に運用されれば薬の処方もより適切な形になるはずだ。薬の出し方も、その医者の経験値から導かれるものだ。

ある薬を処方して、それが効かなければ量を増やして、それでも効かなければ違う薬を試す。ここでＡＩを使えば、その患者の状態に即した処方が今よりも確実にできるようになるはずだ。

薬の種類だけでなく、体調に合わせた量や服用のタイミングなど、きめ細かい処方も可能になる。人間の体は年齢が同じでも個体差が当然あるし、同じ人でも日や時間によってコンディションは違う。血圧や薬の血中濃度も変わってくる。今の技術だとそこまでの手間がかけられず、薬を朝、昼、晩に同じ量を食後や食前に飲む場合が多い。

奥氏は、「薬の毎回の服用パターンにしても、現在は『毎日朝・昼・晩に各１錠ずつ』といった定式化した飲み方が全国的に当たり前になっていますが、これも人間の身体の生理学的な状況を考えれば、本来は、その患者さんの生理学的な能力の個人差（どのくらいの時間で薬Aを半分代謝できるのか、など）やそのときどきの身体のコンディションに応じて『朝1錠、昼0・7錠、晩0・5錠』など、そのつど細かく調整するほうが理想です（中略）しかしAI時代には、患者さんが身につけているウェアラブルデバイスが血圧や薬の血中濃度を自動的に測定し、コンピューターが薬効成分の分量を計算し、指示してくれる、くらいのことはごく普通に行えるようになるでしょう」という（同前より）。AI時代には、日々の行動や健康状態も勘案した上で量や時間が最適化されるはずだ。

これも、技術的なハードルは高くない。専門家の中には、2025年頃には実現するとの指摘もある。

薬の飲み方などささいなことだと思うかもしれないが、医療の現場では摂取のタイミングが難しかったり、管理が大変だったりと、有効にもかかわらず、敬遠される薬も少なくない。AIによる薬の処方の最適化が進めば、患者視点での医療が実現するだろう。

もしかしたら、未来の人間の医者は、今以上に経験が重要になるかもしれない。**人間の医師は、前提などに不確定要素の多い患者の診察を中心に担うことになる。**ＡＩは不確定要素が多いと結論を出すことができない。しかし、患者は診断の答えを期待する。医者には、知識に加え、自己の経験で判断する難しい役割が求められる。

ただ、誰もがそうした診断ができるわけではない。医者も二極化していくだろう。奥氏が「近未来の医師は、大きくは『医療を作り出す人』と『患者さんに寄り添う人』という二つの役割に分かれていくはずです」（同前）と指摘する通り、ひとつは、先ほどのＡＩが診断できない臨床を行ったり、新しい治療法を考えたりする医者。もうひとつは、ＡＩが示した診断を患者にやさしく説明したり、悩みに相談に乗ったりする医者だ。

医者が何をすればいいのか、今よりもずっと性格が変わってくるだろう。もしかしたら、２０４０年は医者が軒並み高収入という世界ではないかもしれない。

ゲノム編集技術で難病の治療に光が見える

2040年は初見の診察や応急措置の誤りが劇的に減るだけでなく、これまでなら重篤化していた疾患や、手の施しようがなかった疾患も治る可能性が飛躍的に高まっているはずだ。

まずは、遺伝子治療だ。遺伝子を分析すると、将来どんな病気にかかる可能性があるのか、どんな体質なのかがわかるようになってきたのはみなさんご存じだろう。たとえば、2040年には、がんなど疾患特有の遺伝子の変異をAIが早期に見つけ、治療する一連の流れがあたりまえになっているだろう。

その際には、遺伝子を自在に切り貼りする「ゲノム編集技術」が医療を引っ張っているはずだ。

この技術は、人間を構成するのに必要な遺伝子群である「ゲノム」を改変する技術だ。
1953年にDNA構造が明らかになったことは、医学にとって大変大きなことだった。その時点で、「ゲノム編集技術」の構想はできていた。つまり、細胞内の病変部分と正常な遺伝子を、人間の操作で入れ替えるという、夢のような治療法だ。しかし、必ずしも狙った部分を改変できず、しかも膨大な時間と手間がかかり、正確性にも問題があった。

このゲノム編集技術は、2012年に「クリスパー・キャス9」という代表的な手法が登場したことにより、可能性が一気に広がる。

これにより、極めて簡単に、改変したい遺伝子情報の場所を特定し、削除したり、置き換えたりすることができるようになった。現在、すでに世界中の研究室で、あたりまえのように遺伝子を編集されたマウスやハエなどが使われているほどだ。遺伝子編集は身近な技術なのだ。

2040年にはがんや血友病、筋ジストロフィーなど難病の治療にも利用されているはずだ。

がんについて少し詳しく見てみよう。がんは今や国民病だ。死因の第1位で、国立がん研究センターの調べだと、日本人が、がんで死亡する確率は、男性23・9％（約4人に1人）、女性15・1％（7人に1人）になっている。

がんの治療が難しいのは、たとえば同じ胃がんでも進行度合いや治療に対する反応が違うことだ。決まった治療法があるわけでなく、医師は患者ごとに対応しなければならなかった。

こうした状況は近年変わりつつある。がんにはいろいろな種類があるが、メカニズムはすべて同じだ。遺伝子の変異によって起きる。

そして、2000年代以降、個人の遺伝子配列の解析が進んだことで、遺伝子に直接アプローチして治療できる抗がん剤が実用化された。「分子標的薬」だ。

この薬はがんの原因となっている特定の遺伝子を攻撃できる。

「分子標的薬の開発は、乳がん、胃がん、血液がんから始まり、次第に難易度の高いがんに移行してきました。2010年代に入ってからは、いよいよ治療の難しいがんの代表格である膵臓がんさえも標的にし始めた」と前掲書にあるが、**遠い未来の願望ではなく、がんは治る病気の時代がすぐそこまできているといっていいだろう。**

がんの治療には、他にも免疫チェックポイント阻害剤という画期的な薬が開発されている。がん細胞は人間の免疫細胞を抑制する動きをするが、この薬はその抑制する働きを抑えることで、免疫細胞を機能させ、がん細胞と戦わせる。

いまだに「がんになったらおしまいかも」と思う人は多いかもしれないが、今、紹介した2つの薬は2020年代のがん治療を大きく変えることは間違いない。２０３５年にはほとんどのがんが治るのではとの楽観的な見方もある。

再生医療がパーキンソン病やアルツハイマー病を治すかも

人間の体は約37兆の細胞からできている。そして、それぞれの細胞の役割は最初から決まっている。つまり、心臓の細胞として生まれたら心臓にしかなれないし、肺の細胞は肺にしかなれない。

しかし、再生医療の登場で、ひとつの細胞から、別の臓器をつくることができるようになった。心臓が悪い場合には、ほかの部分の細胞から心臓の細胞をつくることができるのだ。このようなことができる細胞をｉＰＳ細胞という。

この技術により、治療に必要な細胞を再生できる可能性が出てきている。たとえば、決定的な治療法がない脊髄損傷にも光が差している。

脊髄は神経細胞でできた束で、運動や感覚などをコントロールするために不可欠だ。しかし、事故や病気などによって脊髄が損傷を受けてしまうと、脳が連絡を取れなくなり、体が麻痺状態になる。ここで、再生医療で神経のもとになる細胞をつくり、患者に移植できればいいのだ。

すでに脊髄損傷で手足が麻痺したサルに細胞を移植し、一定の成果を出している。この**再生医療により、難病の原因解明も飛躍的に進んでいる。**

パーキンソン病やアルツハイマー病などは発生の原因がよくわかっていない。原因を調べるためには生きた神経細胞が必要だが、患者の脳から取り出すのは難しく、原因解明が進まなかったのが実態だ。

しかし、ここでiPS細胞があれば、その患者の別の部位の細胞から神経の細胞をつくることができる。これを健康な人の細胞と比較すれば、難病が起こるしくみ、そして治療法が浮かび上がってくるだろう。

ただ、ここでひとつ注意しなければいけない。再生医療の未来は明るいが、iPS細胞は以前ほど視界が良好とはいえない。iPS細胞は、さまざまな組織、臓器に育つと当初思われていたが、意外に難しいとの見方が最近では主流になっている。iPSは有望だが、万能ではないのだ。

「iPS細胞をごく単純化して説明すると、人間の正常な細胞では起こりえない無尽蔵の増殖を繰り返す細胞を作り出す技術、ということになります。ただこれはある意味ではがん細胞で起きていることとよく似たメカニズムでもあり、iPS細胞は人間の身体にわざわざがん細胞を移植する行為と紙一重のようなところもあるのです」（同前）という通り、2019年に国が·iPS細胞の予算に難色を示したのもこうした背景がある。

日本だと、京都大学の山中伸弥教授がノーベル賞を受賞したこともあり、「再生医療＝iPS」ととらわれがちだが、再生医療とは病気やけがなどで機能しなくなった体の組織や臓器を再生して治療する医療全般を指す。

受精卵からつくるES細胞（胚性幹細胞）や、体内にありさまざまな細胞に変わる体性幹細胞など、ほかにも利用できる細胞がある（ES細胞は人間になりうる受精卵を使うという倫理的な問題もあるが）。

治らないといわれる脊髄損傷にも光が差す。「たとえば脊髄損傷患者に対して用いられる『ステミラック注』という製剤は、患者の骨髄液に0・1％程度含まれる間葉系幹細胞（体性幹細胞の一つ）を患者さん自身の血清を用いて培養、増殖させ脊髄を再生するというもので、その劇的な効果は実証済みです」と奥氏はいう。

·iPS一辺倒の状況ではなく、冷静に現実を見渡せば、有望な技術は多い。関連の市場は2030年に国内で1兆円を超える規模にまで成長するという試算もある。
これも、遠い将来のように映るかもしれないが、日本で製造販売承認を受けている再生医療等製品は、皮膚や心筋シートなどすでに9製品に上る。★〔3〕
特に皮膚は、患者自身の皮膚をもとに培養した皮膚シートを使った治療がすでに実用化されている。
皮膚以外の肺や心臓、関節なども人工化にほぼ見込みがついている。2040年頃にはほとんどの臓器で人工臓器が可能になり、人工臓器時代の幕開けとなる。

★〔3〕 2020年10月時点

2040年はワクチンの開発スピードが飛躍的にあがる

ワクチンをつくるには、通常2年以上かかる。ウイルスには、免疫ができないものもあるので、その免疫ができるのかできないのかを調べ、できるならば臨床実験に入る。研究室での試験管の中での実験、動物での実験、そして最終的に人の臨床など、さまざまな経緯を経て、大体10年以上かかる。時間をかけても、結局完成しないことすらある。

しかし、2020年の新型コロナウイルスのように、数年も待てないものがある。これに対するワクチンの開発姿勢はかつてないものだ。世界中がものすごいスピードで臨床に乗り出している。その枠組みは、未来の他のワクチンにも対応できるはずだ。

近年、ワクチンや薬の開発技術自体は、日進月歩であった。ビッグデータを使って病原体と薬との隠れた関係性を調べるなど、情報処理技術の進展で一昔前とは様変わりしていた。そうした中、これまで時間がかかっていた製薬会社の開発工程や各国の規制当局の承認プロセス、国をまたいだ流通網の整備などが期せずして見直されることになった意義は大きい。

残念ながら、病気は進化し続ける。グローバル化が進めば進むほど、海外の病原菌とウイルスは国内に流入する。新型コロナだけが急に生まれたのではない。そもそもWHO（世界保健機関）は1970年代以降、毎年、新しい疾患が必ず登場していると指摘している。

ありふれた病原菌だと思われているものですら、急に進化して、抗生物質に対して抵抗力を持つかもしれない。抗生物質ができる前の人類の医療は、大変な苦難に満ちていた。その時代に逆戻りする可能性もある。未知のウイルスや菌は、いつ我々を脅かすかわからない。

それでも、あらゆる症例を記録し最適な治療法をはじきだす「データベース」という名の優秀な医師の登場と、新たなワクチン開発体制は世界を変える。ひとりひとりにあったオーダーメイド医療も実現することで、あなたの余命は間違いなく延びることになるだろう。

原発後のエネルギーのカギは「電池」

日本は石油や天然ガスなどのエネルギー資源が少ない。2011年の福島第一原発事故までは、原発が主軸だったがそれも立ち行かなくなり、日本ではエネルギー政策が隘路《あいろ》に陥っている。

2040年、こうした状況を救う存在になりうるのが「全固体電池」だ。

おそらく多くの人は、原発がだめなら、太陽光発電や風力発電などの再生可能エネルギーを増やせばいいと考えているだろう。それは正しい。実際、世界では地球温暖化で、石炭などの化石燃料をやめる動きは急加速しているし、原発もフランスなど一部の国を除くと、距離を置いている。

2019年に世界で導入された新しい電源は、72%が再生可能エネルギーだったという。★(4) 電力が通っていないようなアフリカなどの途上国でも、再生エネルギーは普及している。大規模な電力インフラの整備がいらないからだ。すでに、世界における電力（発電設備の容量）の1／3以上は、再生可能エネルギーだ。

とはいえ、先進国が再生エネルギーを主電源にするには大きな壁がある。電力を大量消費するからだ。

太陽光発電、風力発電など再生可能エネルギーは天候頼みのため、出力が不安定なことが課題である。なぜ不安定だと問題かというと、現状では、電気はまだ安価に大量に貯められないからだ。**電気を貯められる設備がないのである。**

現在、蓄電池に使われているのはリチウムイオン電池（Lithium-Ion Battery、ＬＩＢ）だ。いわゆる、私たちが電池と聞いてまっさきに思い浮かべるあの乾電池に代表されるものだ。時計などに使われるボタン型などもある。

蓄電池には鉛蓄電池やニッケル・カドミウム電池などいろいろあるが、その中でも画期的なのが、リチウムイオン電池だった。エネルギー密度が高く、軽量小型で長時間の使用を可能にした。

１９９１年にソニーがビデオカメラに初めて搭載すると、その後、携帯電話や家電に使用される。この電池のおかげで、電気製品の小型化が一気に進んだ。電気自動車にも搭載されている。

ただ、リチウムイオン電池は安全性の問題を抱えている。電極に使う電解液が、有機化合物、つまり燃える素材なので、強い衝撃が加わって電池の温度が上がったり、中の液が漏れたりすると、発火や爆発につながる。実際、スマートフォンが爆発したなんて嘘みたいな話が、一時期相次いだのを覚えている人もいるだろう。

この課題を克服しようとつくられているのが、全固体電池だ。わかりやすくいうと、燃える素材である電解液を固体に置き換えたものだ。より正確にいえば、内部をイオンが伝導できる固体「固体電解質」に置き換えたものである。

電解液の代わりに固体の物質を使うから、液漏れなどの心配がなくなる。燃えにくく、安全性が高い。

全固体電池はとても小さい。蓄電池としては商用化されていないため性能を比較するのは難しいが、リチウムイオン電池と同じ容量なら半分程度の大きさで済む。つまり、全固体電池が実用化されれば、単純に2倍貯められることになる。

★〈4〉 国際再生可能エネルギー機関（IRENA）調べ

図5 ｜ リチウムイオン電池から、全固体電池へ

電池は日本のお家芸

現在、全固体電池に熱い視線を送るのは自動車業界である。

電気自動車（EV）の課題となっているのが、一回あたりの充電で走れる距離（航続距離）だ。電気自動車だとどうしても車体のスペースが限られているため、電池を積める量に限界があるから、容量あたりの性能を高める必要がある。現在のリチウムイオン電池に代わって固体電池を使えば、安全で、なおかつ航続距離を現行の2倍程の700~800キロメートルと、飛躍的に伸ばせる試算がある。

それだけではない。電気自動車のリチウムイオン電池が全固体電池に代わると、日本のエネルギー事情は一変する。電気自動車が、その地域の蓄電に役立つかもしれないからだ。「V2G（ビークル・トゥ・グリッド）」が大化けする可能性がある。

V2Gとは、電気自動車などを蓄電池としてインフラ活用する技術だ。これがあれば、地域に安定した電力の供給や調整ができるようになる。

しくみは簡単だ。電気自動車を使わないときに、車の大容量電池を電力の貯蔵に利用するのだ。Ｖ２Ｇでは、電気自動車を電力系統に連系し、車と系統との間で電力を行き来させる。

先ほどもいったが、再生可能エネルギーは天候に左右される。だから、たとえば、太陽光の発電が過剰な場合は車に電気を貯め、発電量が少ないときには車から電気を持ってくる。停電時や災害時のバックアップ電源にもできる。

これができれば、当然使える電気が増える。全固体電池がＥＶに搭載されれば、Ｖ２Ｇの普及に弾みがつく。

日本の電気自動車の保有数は中国、アメリカ・ノルウェーに次いで世界第４位だ。[★5]

２０３０年までに乗用車の新車販売に占めるＥＶの割合を30％に拡大することを目指しており、Ｖ２Ｇが広まる土壌は豊かだ。

Ｖ２Ｇが広まる大きな理由はもうひとつある。**全固体電池は日本企業の競争力が高い分野なのだ。**特許の半分はトヨタ自動車を筆頭に日本勢が保有する。

２０２０年の全固体電池の特許出願数を国別に見ると、日本が54％と圧倒的なシェアを握る。[★6]

アメリカ（18％）や欧州諸国（12％）を寄せつけず、次世代技術でもリードをしていることがわかる。

日本企業にしてみても、全固体電池の開発の成否が自社の命運を握っているといっても過言ではないだけに必死になるはずだ。

小型の産業機器向けなど、容量が小さい電池は一部で生産が始まっていて、村田製作所やマクセルなど電子部品各社がこぞって参入している。**電池という日本の「お家芸」の裾の広さがうかがえる。**

自動車向けの全固体電池の実用化はもうそこまできている。2020年代半ば以降からはじまり、本格普及は2030年前後とみられる。それまでには、太陽電池の発電効率も飛躍的に高まっているはずだ。

効率よく太陽光で発電し、販売台数が増えるEVに電力を貯蔵するようになれば、エネルギー政策の根本も変わる。全固体電池は、日本の自動車業界のみならずエネルギー事情も様変わりさせる可能性を秘めている。

★〈5〉 2019年時点のEV保有台数
★〈6〉 欧州特許庁と国際エネルギー機関（IEA）が2020年9月にまとめた電池特許関連の調査

図６｜世界の電気自動車の保有数

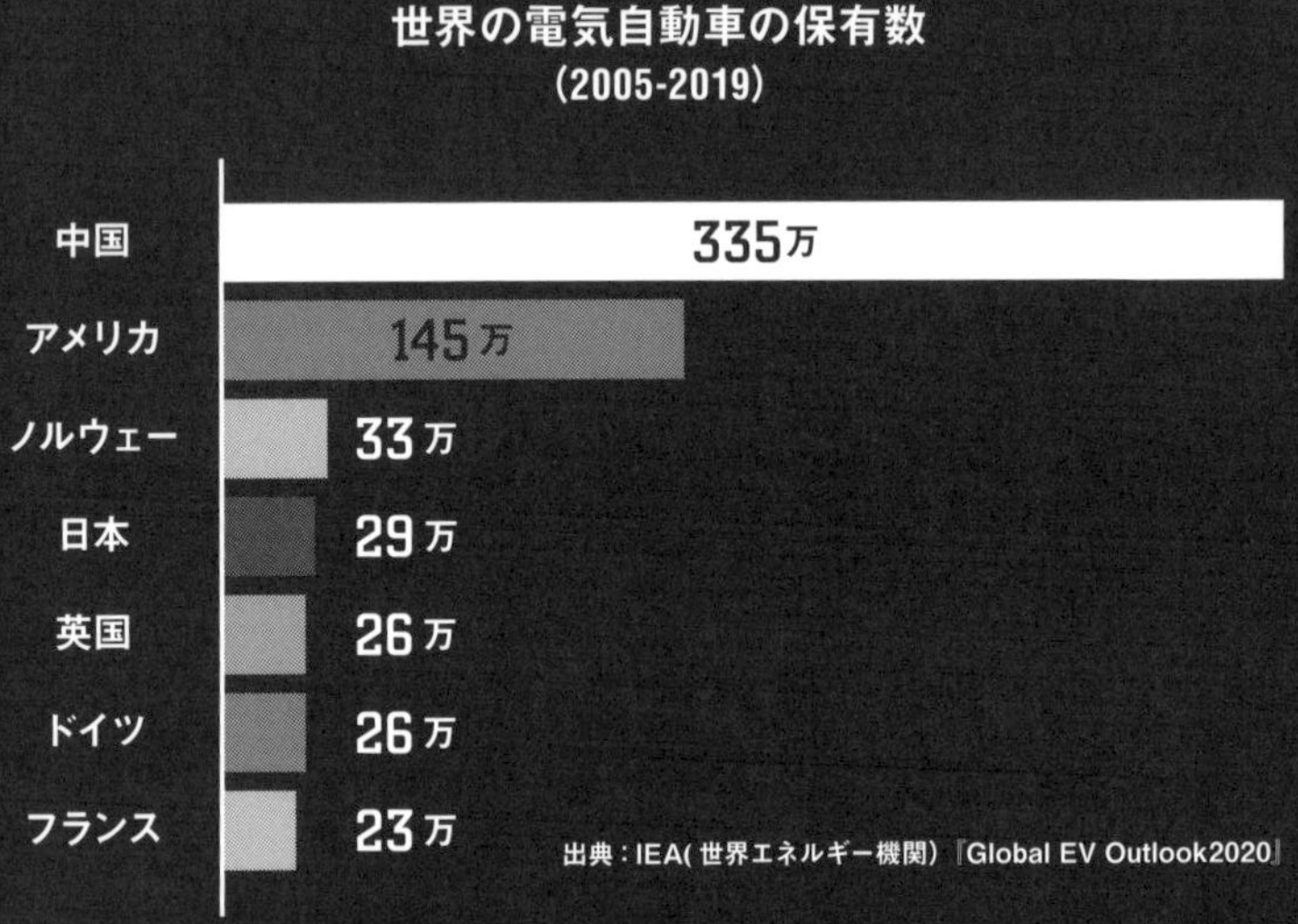

出典：IEA(世界エネルギー機関)『Global EV Outlook2020』

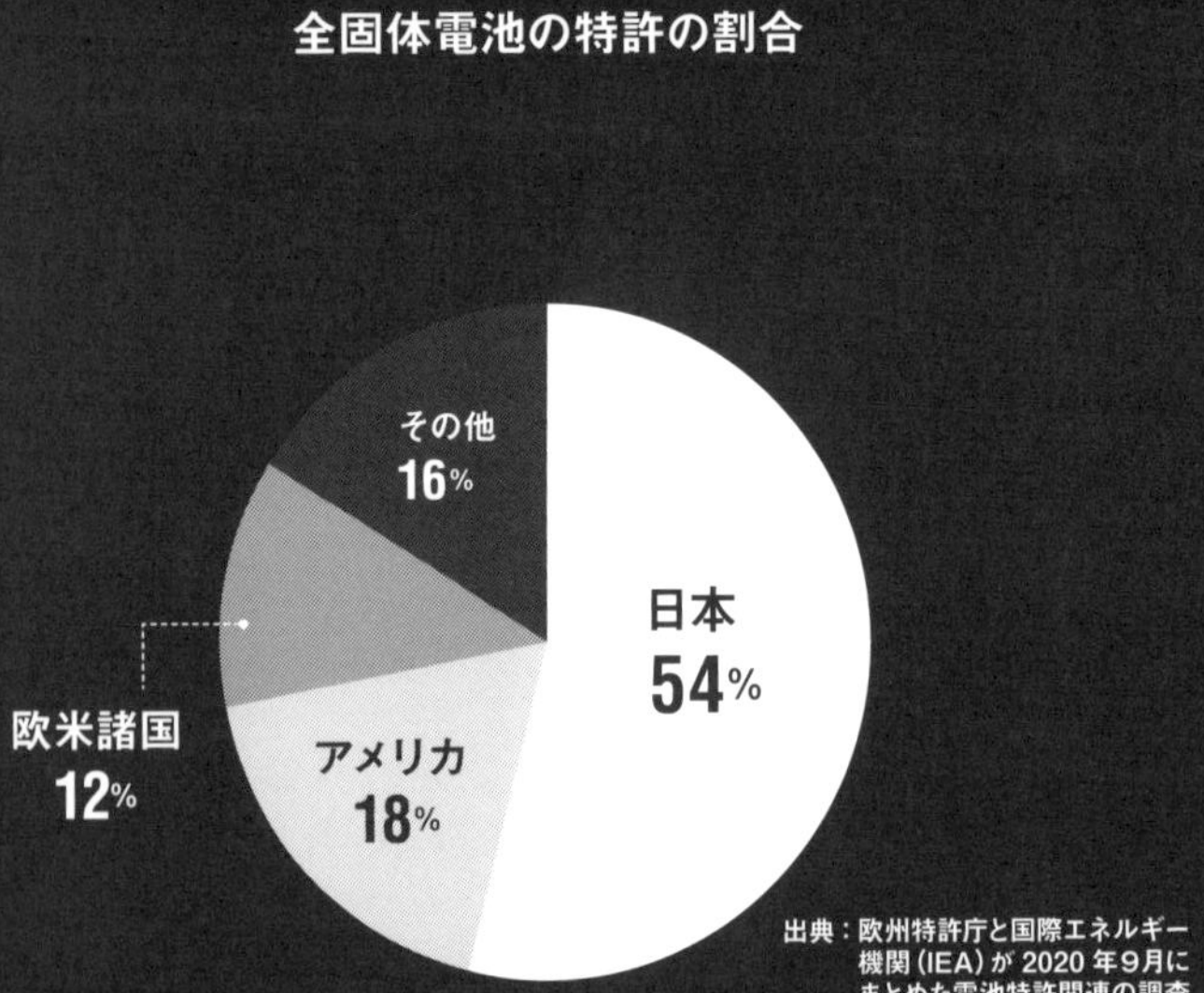

風力発電に向かない日本の地形

このように、2030年までは再生可能エネルギーと全固体電池がエネルギー政策の中心になるはずだ。

菅義偉首相は、2020年の就任後初の所信表明演説で、2050年に国内の温室効果ガスの排出を実質ゼロにすると宣言した。このことからもそれは明らかだ。

再生可能エネルギーの普及の制約となっていたのは送電網だが、それを増強し、また、供給が不安定という欠点を補うため、大容量の蓄電池を整備する枠組みは間違いない。財政支援なども行う見通しで、そうなれば、全固体電池も開発が進むだろう。

そして、再生可能エネルギーが主力電源化する中で、「切り札」に位置づけられたのが洋上風力だ。洋上風力発電とは、海洋上に設備をつくり、海の上で発電するものだ。風力発電は、これまで陸上で大半が行われてきたが、海上は陸より風が強い。大規模な施設を建てられる。騒音問題も起きにくく、大型化しやすい。海に囲まれた日本では拡大しやすいという判断だ。

2030年までに洋上風力発電を全国に整備し、原発10基分にあたる1000万キロワット分の発電容量を確保する計画もある。

欧州は、洋上風力をすでに行っているが、大規模な開発や風車の大型化で発電コストが低下し、もはや火力より安い水準になっている。

しかし、これは欧州ならではの環境がある。あのあたりは遠浅の海が多く、比較的コストが安く、海底に敷設する「着床式」と呼ばれる方式が採用できる。偏西風が吹くので、条件にも恵まれている。

一方、日本には遠浅の海が少ないため、海に浮かべる「浮体式」が中心になる。これは欧州の着床式より割高で、世界的にも導入実績は多くない。日本は台風が多いので、マイナス面もある。運転音などは漁獲へ影響するので、漁業権利者との交渉も必要になるだろうし、景観から反対する動きも出ている。

日本では現状では洋上風力の導入費用が欧州の3倍ともいわれる。設置数が増えれば、コストがある程度下がるが、欧州とは環境そのものが違うことを認識しなければならない。

政府は2040年には3000万キロワットまで増やす意欲も見せているが、そもそも1000万キロワットに達したところで、日本全体で風力発電が占める割合は2%にも満たない。洋上風力を再エネの切り札にするには、日本から見渡す限りの海を風力発電設備にしなければならないくらいだ。どう考えても現実的ではない。

もちろん、こうした課題を克服する対策を打ち出すことで、風力発電立国になる可能性も否定できない。だが、現時点では長期的なエネルギー政策は「目標ありきで筋道なし」といった印象が拭えない。

世界で注目されるネクストのエネルギーは核融合

そこで、ウルトラCとして期待されるのが核融合だ。

核融合炉は太陽が燃えるのと同じしくみを地上で再現して、発電するという技術だ。「地上の太陽」とも呼ばれ、原発に比べて安全で、無尽蔵のエネルギーを生み出す可能性もある。

核融合は、軽い原子核同士が結びつき、重い原子核になる現象だ。具体的には重水素とトリチウムの原子核が衝突し、ヘリウムの原子核と強力な中性子が発生する。その中性子を壁にぶつけて、生まれる熱を取り出す。ちょっと想像しづらいかもしれないが、まあ、途方もないエネルギーを生むと考えてくれればいい。

たとえば重水素などの燃料1グラムから、石油8トン分のエネルギーが得られる。おまけに燃料に使われる重水素は海水から、トリチウムも鉱物や海水から手に入れられるという優れものだ。

核融合は、燃料が枯渇する恐れはほとんどないし、温暖化の原因となる二酸化炭素も排出しなければ、原発で懸念される高レベル放射性廃棄物も発生しない。再生可能エネルギーのように、発電量も天候に左右されない。

つまり、火力や原発の課題を克服し、安全で環境に影響を与えず、取り扱いに困る廃棄物も出ない。これが「夢の技術」と呼ばれるゆえんだ。

現在、核融合炉は、世界の主要国が参加するプロジェクトがフランスで進んでいる。欧日が中心だ。これが、国際熱核融合実験炉「ＩＴＥＲ（イーター）」計画だ。総工費は２００億ユーロ（約２兆５０００億円）で、小型発電所並みの17万キロワットくらいの電力になる熱を取り出すのを目標に掲げる。

資源の少ない日本では１９６０年代頃から核融合エネルギーに関する研究が行われていて、技術力も高い。ＩＴＥＲは２０２０年に組み立て作業が始まり、２０２５年の実験開始を目指している。順調にいけば２０３５年に本格稼働し、実用化は２０５０

年頃ともいわれている。

もちろん、「夢の技」だけに、ハードルは低くない。太陽を地上で再現するわけだから簡単ではない。

核融合炉では、物質を1億度以上にして原子核が高速で運動する「プラズマ」という状態をつくり、原子核の反発を抑えるが、問題は、このプラズマを長時間維持、制御するのが容易ではない点だ。

ただ、技術は日進月歩だ。核融合の技術は確実に前進していくだろう。

最近では米マサチューセッツ工科大学（ＭＩＴ）が、企業と共同で２０２５年に核融合炉を稼働させる計画を打ち出している。最大で１０００メガワットと規模はＩＴＥＲとは比べようもないが、稼働時期は10年早い。

その上、生産した熱エネルギーを電気エネルギーに変える発電所も２０３５年までに整備するビジョンも掲げている。

ちなみに、この計画では、プラズマを制御するために、ＩＴＥＲプロジェクトが始まった２００７年にはなかった技術も使っている。わずか10年程度で核融合炉の要素技術が進展していることがわかる。

今から20年後の2040年時点では、世界のエネルギー事情は再生可能エネルギーが主流だろう。だが、その頃には、その後の20年、30年を見据えて、核融合炉を「夢」ではなく現実の代替エネルギーとして検討している可能性が否定できない。

テレビは絶滅はしない

「そういう形態のエンターテインメントは、2040年を最後に途絶えたんです」。人気ドラマ「スタートレック」で、過去の時代から蘇った地球人に対して、アンドロイドのデータ少佐が言うセリフだ。

2040年にテレビはもうないと聞いて、信じられない人もいるかもしれない。確かに、インターネットの登場でテレビ離れが起きていると指摘されて久しいが、2021年の今、メディアとしての存在感が大きいことは否定できない。

日本人が、1日にテレビを見る時間は、平日、休日ともに「180分以上」が最多だ。それぞれ約25％と35％となっている。[★7] 2008年での調査より、大体5％ほど減っているが、それでも、平日は国民の4人にひとり、休日は3人にひとり以上が3時間以上、テレビにかじりついているのである。

同じ調査で、18〜29歳に限定しても、10人に9人近くは何らかの形でテレビを見ている。

また、中学生、高校生の男女を対象にした調査では、約7割の人が普段テレビを利用すると答え、そのうちの約80%がテレビ番組を視聴中にスマートフォンを操作すると答えている。★(8) つまり、テレビは「ながら」に適したメディアなのだ。

これは日本だけの傾向ではない。約9割のアメリカ人が、テレビを見ながらスマートフォンなどのデバイスを使っているという調査結果もある。★(9) 2040年に向かって、テレビは、「ながら」に適したラジオが絶滅せずに生きながらえているのと同じような道をたどるだろう。

★(7) 時事通信社が全国18歳以上の男女2000人に実施した調査（2019年10月）
★(8) MMD研究所調べ
★(9) ニールセン（市場調査会社）調べ

図7 | 日本人はよくテレビを見ている

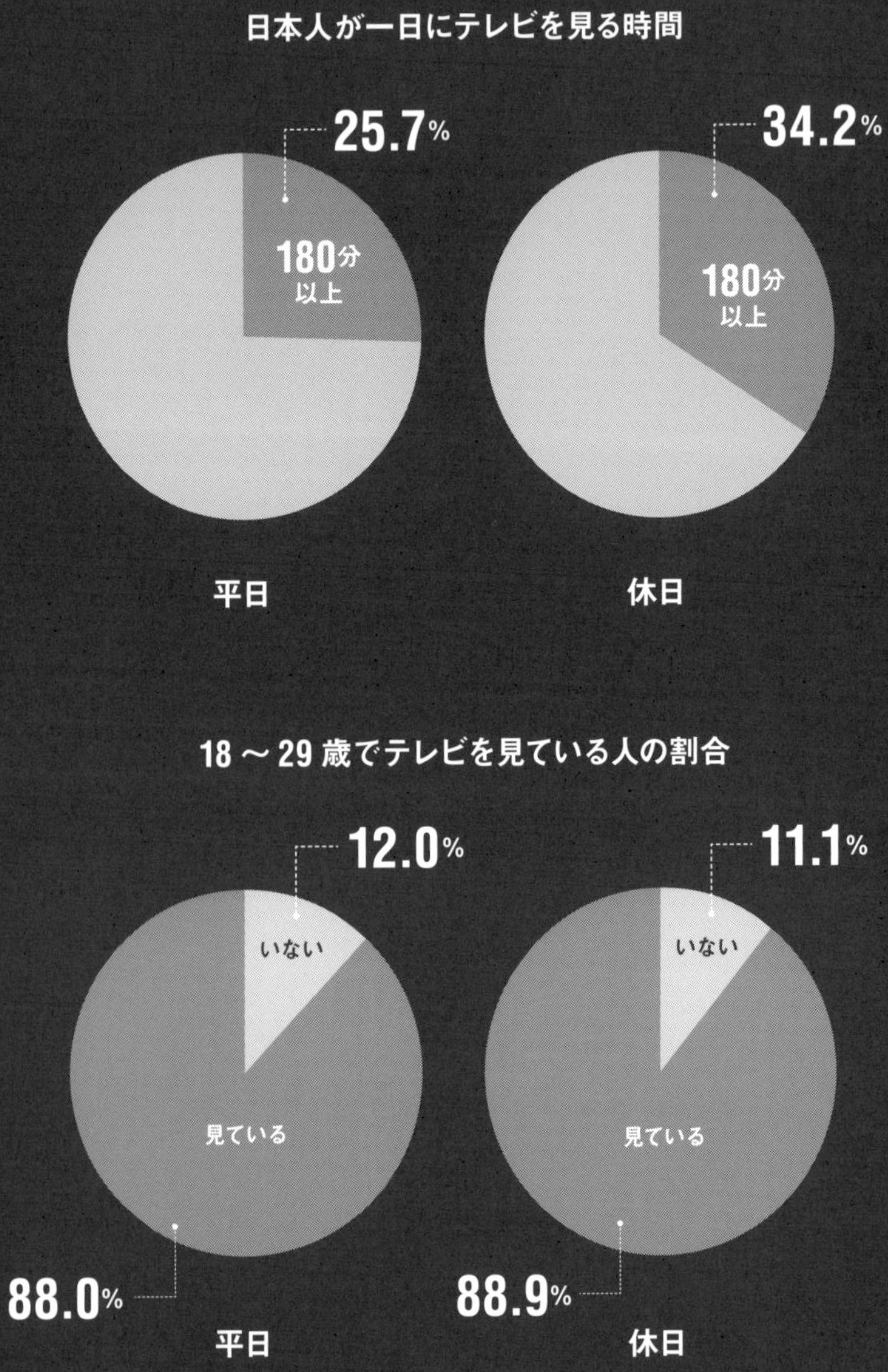

面白いテレビ番組はテレビ局以外がつくる

ただ、絶滅しないとしても、テレビは現在ほどの存在感を確実に失うだろう。**正確にいうと、テレビ局が制作したコンテンツをテレビで視聴する形式は廃れるだろう。**すでにアメリカではその流れは顕著になっている。

アメリカで数年前に話題になったジョークがある。「この会場にいらしている数千人の方々と、テレビを見ていらっしゃる数百人のみなさん、こんばんは」。これは2018年のエミー賞の授賞式の中継でのジョークだ。視聴率が低いテレビ局を揶揄するジョークから式が始まったのだ。

エミー賞の受賞作品には、もはや三大ネットワークの番組はない。賞をとっているのは、アマゾンドットコム、ネットフリックス、有料ケーブルテレビ局のHBOの3つのどれかだ。**アメリカではネット企業の方が予算が潤沢なこともあり、地上波テレビは完全に新興勢力に白旗を上げている。**面白いテレビ番組をつくるのは、すでにテレビ局ではないのだ。

もちろん、アメリカでもテレビというハードはある。ただ、アメリカでテレビに映し出されるのは、アマゾンやネットフリックスがつくった番組なのだ。最近はあたりまえのようにテレビがネットに接続できるため、それらが人気番組として消費されている。通信と放送の境目はもはや完全にない。

日本も同じ道をたどるはずだ。テレビ局の機能は大幅に縮小せざるをえない。潤沢な資金があるネット企業の方に人材も流れるだろう。すでに、テレビ局と、ネットフリックスやアマゾンなどとのコンテンツ制作費は数倍の差があるといわれており、逆転は不可能だろう。

テレビ局としては、報道やスポーツ中継などの生放送の分野に資源を投じるのが生き残り策になるかもしれないが、この分野も最近は「DAZN《ダゾーン》」などが台頭しており、簡単ではない。中でも淘汰されるのは、ローカルテレビ局だ。キー局のコンテンツに依存していて経営資源が限られるからだ。

ハードの「テレビ」自体はなくなる

冒頭のスタートレックの話ではないが、映像を見るスタイルも変わるだろう。

2040年を待たずして通信速度は飛躍的に上昇し、スマホなどに高精細な動画が流し放題になることから考えると、いろんな可能性が考えられる。

期待できるのは、「3D映像」だ。通信速度が上がることで、普通の二次元の映像に比べ、情報量が格段に多い3D映像の処理も問題なくできる。

サッカーや野球などのスポーツ中継を、専用のメガネをかけて3Dで見るという夢のようなことが標準仕様になるかもしれない。スタジアムの特等席にいるように、首を回せば360度の臨場感ある中継映像を堪能できるようになるはずだ。

NHK放送技術研究所によると、従来のテレビでは、もちろん出演者は画面の中に映っているだけだが、2040年頃までには、ARグラスを利用して出演者がテレビを飛び出すような感覚までも味わえるようになるという。

映像視聴のスタイルとして、ヘッドマウントディスプレイや顔をおおうようなドーム型ディスプレイでＶＲ映像を楽しむようになることも予想されている。

果たしてそれを「テレビ」と呼ぶのか。「テレビ」が絶滅する世界になっている可能性があるとはそういうことだ。

新聞は絶滅危惧種

新聞が消滅するといわれて久しい。2040年、我々が思い浮かべる新聞もテレビと同じくなくなっているだろう。2020年の今ですら、新聞は加速度的に消えている。

日本の新聞発行部数のピークは、1997年の約5400万部だった。それが2019年は約3800万部。比べると約1600万部も少ない。

部数の減りは加速している。直近の10年でその大半の約1250万部が消えた。特に17年から19年の2年で約431万部が減少している。★(10)

一世帯あたりの部数は0・66部。2008年に1部を下回ってから一度も反転することはない。かつては、一家に一紙必ずあった「購読紙」がなくなって長い状態だ。

2040年には「昔、新聞というメディアがありました」と、江戸時代の瓦版のようになっていそうだ。新聞の部数はなぜ減るのか。その理由は記事の内容などはあま

図8 | 新聞の発行数は減る一方

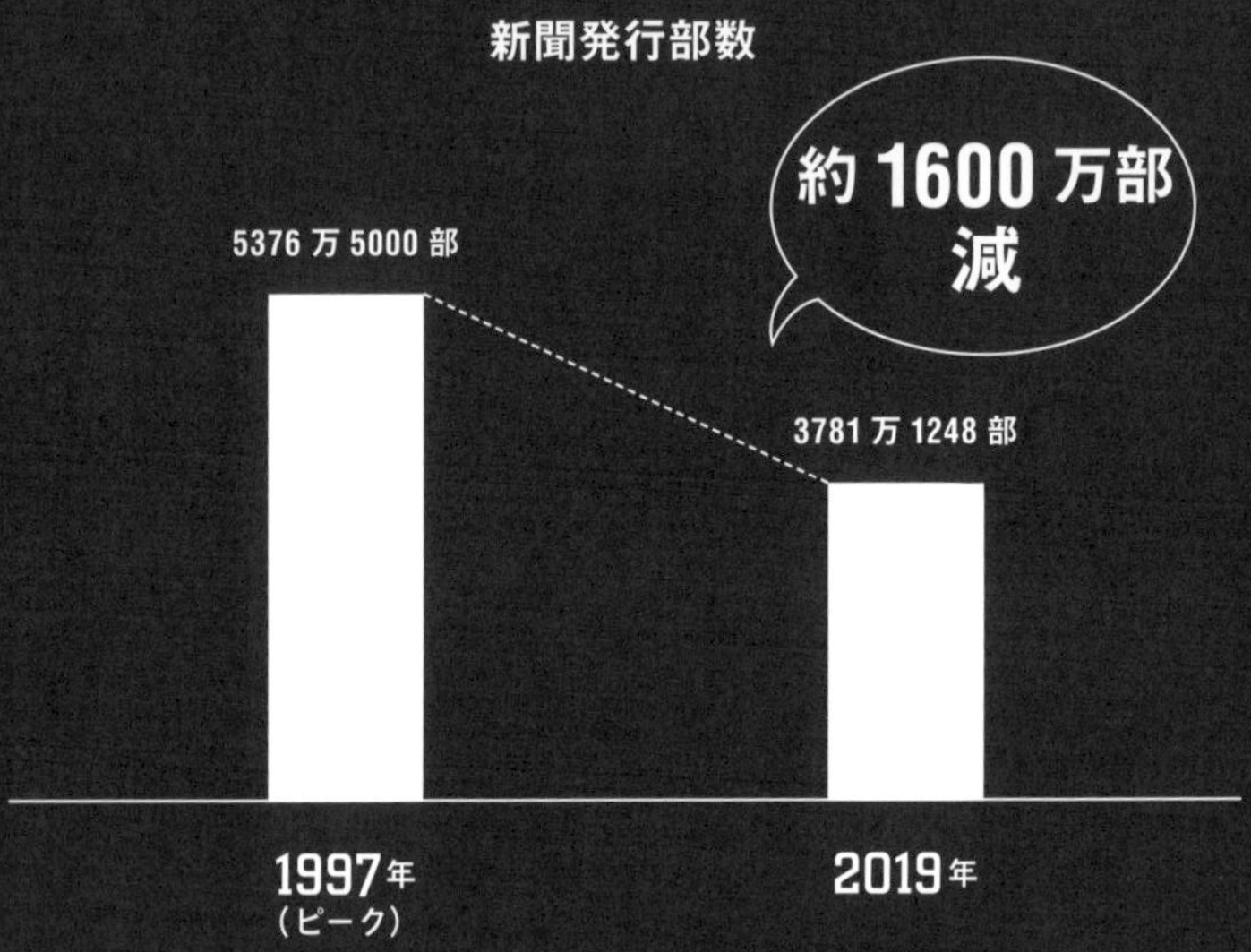

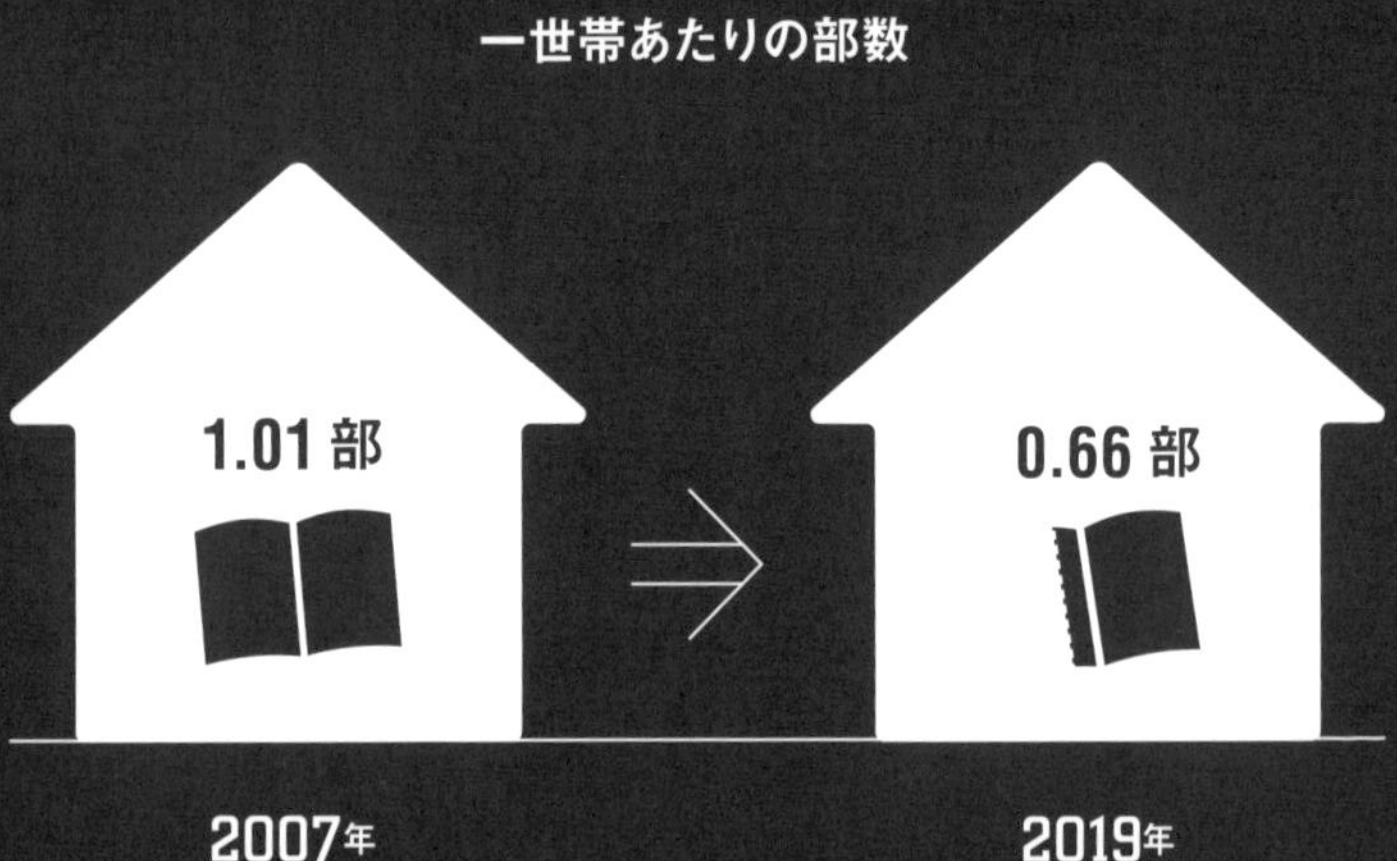

り大きな原因でない。新聞の劣化などと叫ばれるが、よくも悪くも変わっていない。消滅の原因は、インターネットの登場の一語に尽きる。

かつては、読者に最新の情報を直接届ける機能（新聞販売店）を持っていたのが、新聞社だけだった。だから多くの家庭が新聞をとっていたに過ぎない。

多くの人は今でも新聞社の記事を読んでいる。紙で読まないだけで、インターネットで読んでいる。テレビと同じだ。新聞の「取材して記事を書く」機能は残るだろうが、新聞というメディアは消える。

そのため、2040年、今のような形で存在している新聞社はほとんどないはずだ。多くの新聞社が、ヤフーのようなインターネットメディアに記事を提供する制作会社として生き残る道を選ぶはずだ。制作部門だけを買収されるケースも出てくるだろう。社名は新聞社だが、不動産とイベント事業だけの会社になるかもしれないし、それも分割されるかもしれない。**下げ止まらない部数減に巨体を維持する余力はない。**

宙に浮くのが、かつては強力な武器だった販売店網だ。すでに往事の勢いはないが、新聞の販売店は2019年時点で1万5344カ所、従業員数は27万1878人も抱えている。これらは新聞社から委託されて新聞を販売しているが、彼らは新聞が衰退すれば、生活がままならない。

じつは、新聞販売店は物流拠点としてのメリットが少なくない。担当員は地域の隅々まで熟知し、朝刊夕刊配達時以外は人も輸送手段（バイクや自転車）も稼働していない。新聞以外の「何か」を運ぶのにもってこいだ。特に、物流拠点から顧客までのラストワンマイルに手間とお金をかけざるをえない物流業者には、魅力的なはずだ。

物流大手のＳＢＳグループは、すでに読売新聞の一部の専売店にネット通販事業者から集荷した荷物の委託を始めた。インターネット通販業者は自前の物流網に力を入れており、これから、新聞販売店がＥＣ業者の委託先になるケースは増えるだろう。

とはいえ、２０４０年を見れば、新聞販売店がインターネット通販業者の委託業者として生き残っている可能性はほぼゼロだろう。すでにネット通販最大手のアマゾンはドローンでの実証実験を始めている。２０４０年までには自動運転でのバスやトラックも実用化される。場所によっては、物流倉庫から人や拠点を介さずに品物を届けることも可能になるだろう。「新聞販売店の人がネットショッピングの品物を配達していた時代があったよね」と懐かしく思い出している可能性も小さくない。

★〔10〕日本新聞協会、２０２０年10月時点

chapter

#02

2040: Our World

あなたの不幸に直結する未来の経済——年金、税金、医療費

2040年の日本は老人ばかり

この章では、経済を扱う。

2040年に果たして、年金はいくらくらいもらえるのか、税金はどのくらい払うのか、医療費はどうなるのか。本章では、現状をきちんと把握しながら、未来に私たちが何をすべきか考えていきたい。

日本の財政は破綻する——誰もが聞いたことがあるだろう。

そのことについて心配している人をよく見かけるが、財政破綻しようがしまいが、これからの日本がますます貧しくなるのは間違いないことを、まず認識しなければならない。

「ますます」と書いたのは、2020年の今、日本はすでに貧しい。こう聞くと違和感を抱くかもしれない。私たちの生活は5年前、10年前と大きく変わっていない点も少なくないからだ。

たとえばあなたが30代ならば、昼に800円のラーメンを食べ、夕飯に500円のコンビニ弁当を食べることが10年前もあったはずだ。変わらない光景がそこにはあるわけだから、貧しくなっていないではないかと思う人もいるだろう。

だが、これは、裏返せば、10年前から物価がほとんど上がっていないということでもある。コロナ禍の前までは海外から観光客が押し寄せていたが、あれは日本の観光キャンペーンがうまいわけでも、日本の自然の風光明媚さが外国人の心をつかんでいるわけでもない。

単純に、自国でモノを買うより日本で買う方が圧倒的に安い国が増え、その国の人たちが押し寄せているのだ。

私たちが変わらない間に、他の国々は所得が増え、リッチになり、自国での物価が上昇し、日本に行ってでも買い物した方が得なのだ。**つまり、日本は世界でみると、「安い国」になったということである。**

こうした状況は今後も変わらない。

本章で述べるが、日本は経済成長がこれからほとんど見込めない。GDPの成長率も2030年以降はマイナス成長やほぼゼロとの予測が支配的だ。

これからの日本は食べるものにも困るような悲劇的な状態にはならないだろうが、

世界を見渡したときに相対的にどんどん貧しくなる。これは嘆いても解決しない。労働人口は減り、いくら生産現場の自動化やオフィス業務でAIの導入を進めたところで、国全体の生産性の向上や経済成長には限界がある。

当然ながら、成長が望めない国の財政や社会保障の見通しは明るくない。正直、この本を書きながらも暗い未来しか想像できず、恐怖を感じずにはいられないが目を背けることはできない。

まず、財政の状況から見てみよう。

財政の健全度を示すといわれるのが、政府の債務残高だ。これは、対GDP比のことで、ゼロに近いほど健全だ。これが2018年時点で237%。IMF(国際通貨基金)の調査国188カ国・地域中188位であった。最下位だ。

なぜ、こうした事態になっているのか。日本の財政を家計に例えると、毎年、収入より支出が多い状態が続いているからだ。慢性的な借金体質なのである。

税収だけでは予算を組めない。消費税や所得税、法人税などの税収では歳出の約6割しか賄うことができていない。そのため、残りは債券(国が発行するので国債。資金を借り入れたときに発行される借用証書)を発行し、それを中央銀行である日銀が

図 9 ｜ 日本の借金はぶっちぎりで世界一

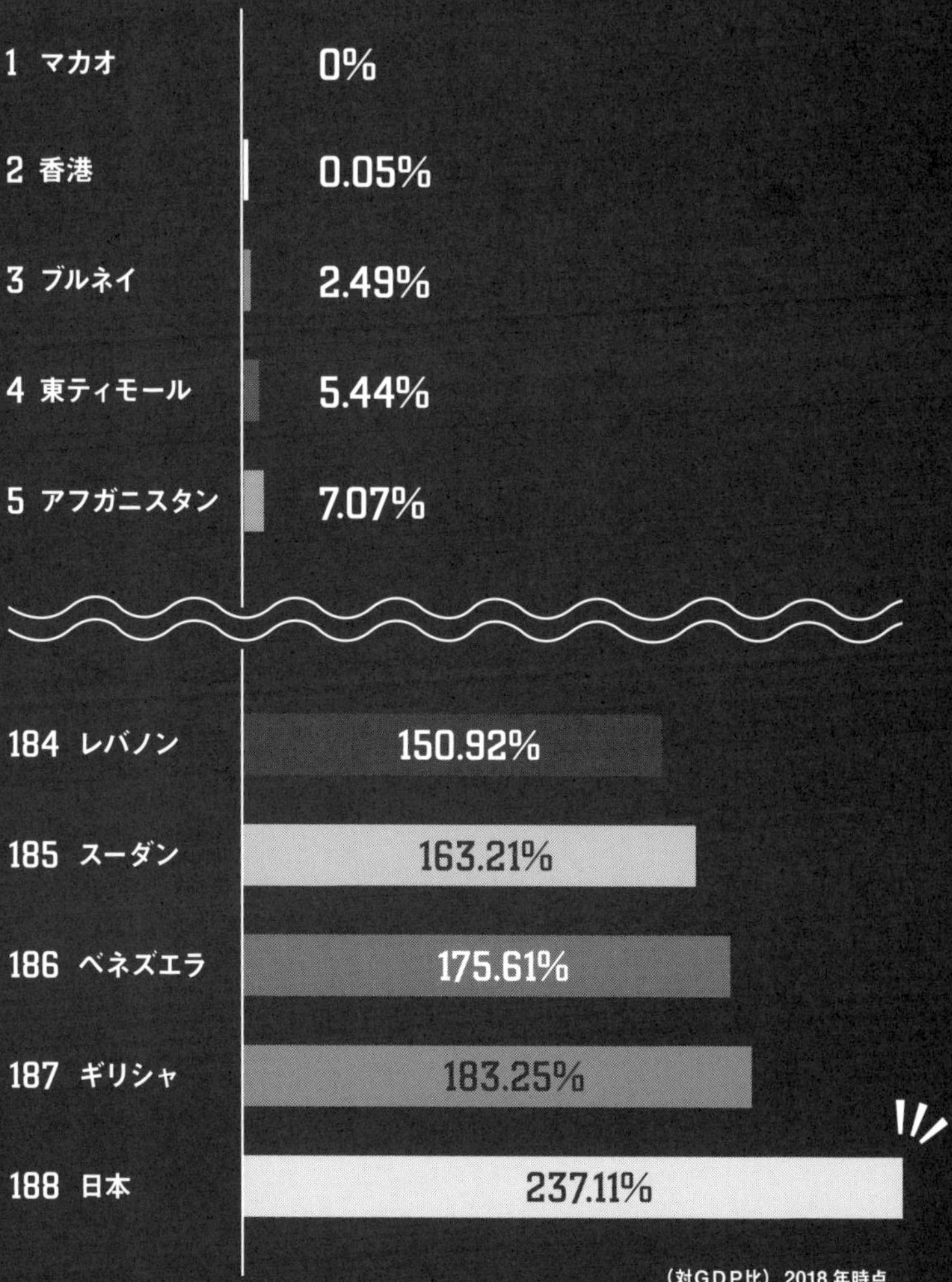

（対GDP比） 2018 年時点

出典：IMF「World Economic Outlook Database」より作成

実質ほとんど買い上げている。

この状態を解決する方法は、理論的にはとても単純だ。使うお金を減らせばいいのだ。

家計と同じで、入り口が少なければ、出口を減らせば、借金する必要がないのだが、現実的には難しい。

いちばんの理由は、高齢化だ。いくら頑張ろうと、高齢者が増えることは避けられず、たとえば、医療・介護費用などの増大は不可避だ。

医療、介護や年金などの社会保障費はどのくらいまで膨らむだろうか。これには、いろいろな試算があるが、政府は2019年度に124兆円だった社会保障関係の総支出額は2040年度には190兆円に拡大すると予測している。その中でも、医療介護給付費は現行の2倍近い90兆円を超える水準まで跳ね上がる可能性も指摘されている。

もちろん、若年層の人口が増えていれば支えられる。しかし、もう無理だ。ご存じのように人口減少社会に突入している。

支える若者が減り、老人が増えるのだから厳しくなるのは明らかだ。

65歳以上を支える現役世代は1950年には12・1人だったが、2040年には1・5人になる。高齢者ひとりを、かつては胴上げできたのが、肩車しかできなくなるようなイメージだ。

老人が増え、それを支える若者が減る

少子高齢化が進んだ2040年の世界は想像するだけでも恐ろしい。団塊世代が90歳、団塊ジュニア世代が65歳になる。そして、団塊ジュニアの4割が集中するのが首都圏だ。膨大な数の都民が高齢化を迎える。見渡す限り老人だ。過疎地ではすでに現実になっている老老介護が現実のものになる。東京都の年少人口（15歳未満）が占める割合は2019年は11%だったが、2040年以降には10%を割り込む。子育て支援に力を入れようとしても、対象となる子どもがいなくなるのに歯止めがかからない皮肉な状態だ。

あたりまえだが、人口は最も読みやすい。2040年の労働人口は確定している。10年後に出生率が上がったところで、もう食い止められない。現状の延長線上にある未来はこうした世界だ。

図 10 | 老人が増え、それを支える若者が減る

国の財源は、私たちの社会保険料からまかなうしかない

働く人の数が増えないとなれば、所得税や法人税が自然に増えることも期待しづらい。そんな中、財政を考えるなら、現実的には歳入を増やすしかない。しかし、財源の確保は困難だ。

歳入を増やすと聞いて考えられるのは、まず消費増税だろうか。2019年10月に8%から10%に引き上げられた。安倍晋三前首相は今後10年程度は再引き上げしない方針を示していたが、有言実行となれば財政状況はさらに悪化するだろう。

有識者からは、消費増税を先延ばしにすれば2030年以降に消費税率を20%以上に倍増せざるをえないとの指摘もある。国際機関のまなざしも厳しく、OECD（経済協力開発機構）は最大26%に、IMFは段階的に15%まで引き上げることを日本に提唱している。

消費増税に踏み切らなければ、社会保険料を引き上げるしかない。

そもそも社会保険料はすでに上昇の一途だ。給与明細を見てみよう。賃金上昇を上回るペースで社会保険料の負担が上昇している。**10年前に比べて社会保険料の負担率は、ひとりあたり26％増えているが、賃金は3％しか伸びていない。**これでは、勤労意欲を失う人も多いだろう。先進国の中で、ただでさえ低い生産性がさらに下がる可能性がある。負の循環に陥れば経済成長は落ち込み、さらに国の財政は厳しくなる。

2040年はお先真っ暗だと思われた方がほとんどだろう。

この章では、来るべき未来のために、みなさんの懐を大きく痛めずに、私たち個人は何をすべきなのか、そして国の歳入がどうすれば増えるのかも考えたい。

図11 | 社会保険料は増えるのに、賃金は増えない

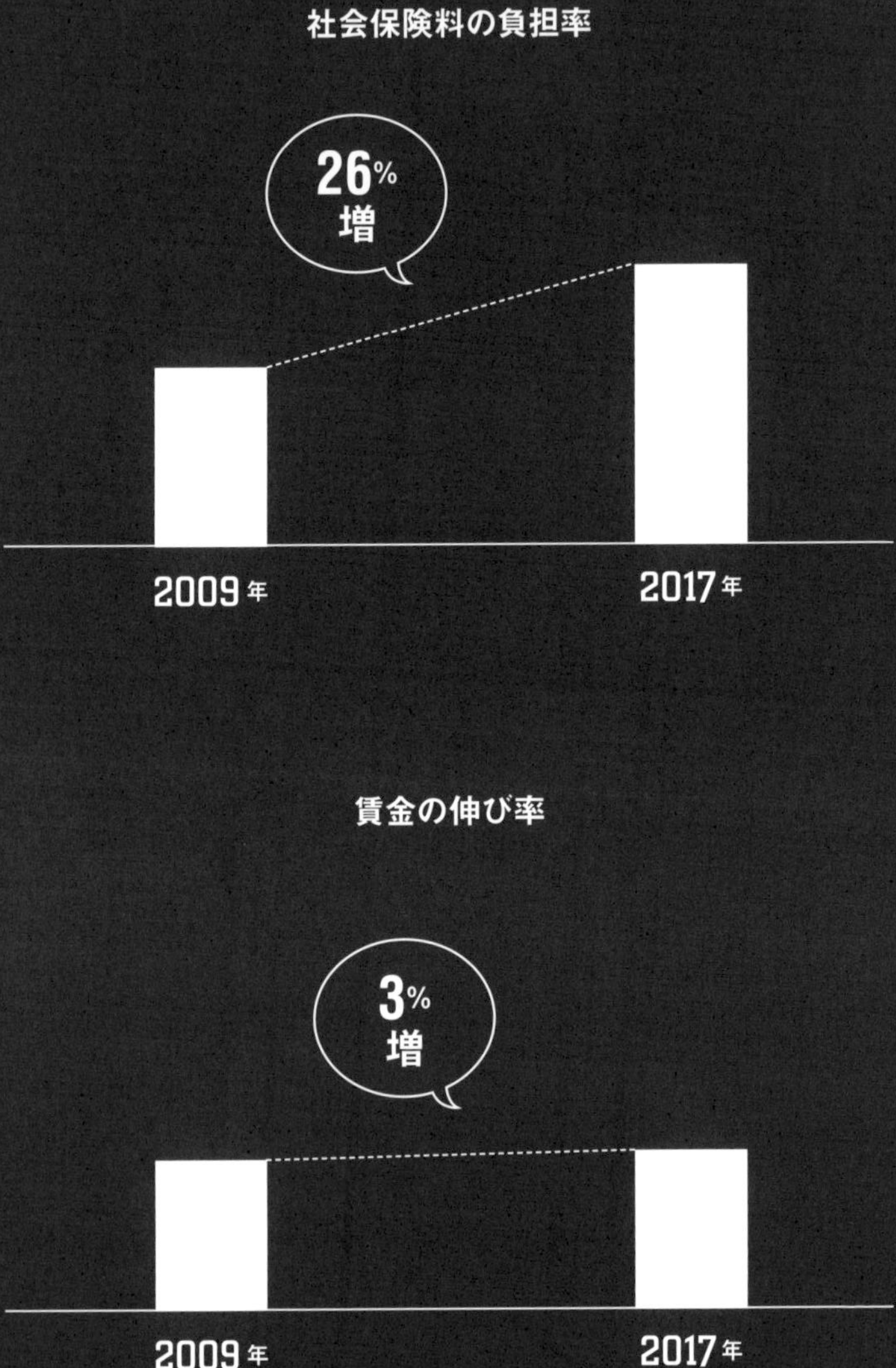

出典：第3回全世代型社会保障検討会議資料（2019年11月）

すべての問題は高齢者が増えること

人口が減少している日本の課題、「労働力不足」。これは1990年代半ばから、すでに予見されていた。というのも、働くことができる人の人口（生産年齢人口）は1995年がピークで、ここから減少に転じたからだ。しかし、それが問題にならなかったのは、総人口がその後も増えたからだ。ちなみに、総人口のピークは2008年だ。

なぜかというと、もちろん高齢者が増え続けたからだ。一昔前は医療や栄養問題から子どもがたくさん死んだが、これからは増え続けた高齢者が多く亡くなる社会になる。当然、医療の発達もあり、なかなか簡単には亡くならず、慢性的な病気を抱える人も増える。

1950年生まれの男性の35%、女性の60%は90歳まで生きるといわれている。1990年生まれの場合は、65歳まで生きた女性の2割は100歳まで生きる。これは、少なく見積もってだ。

おまけに、現在、65歳以上の7人にひとりは認知症といわれているが、**高寿命化により、2035年には4人にひとりが認知症になる。**100歳を超えると必ず認知症になるともいわれるが、つまり、高齢になれば認知症になるのはあたりまえなのだ。これは確実に訪れる未来だ。

また、東京と地方では対応しなければならない状況は大きく異なるし、東京の中でも差が出てくる。たとえば、有明地区でいまだに開発が進む江東区は人口が増えているが、高度経済成長時代に団塊の世代が団地に住み始めた多摩市は、そろそろ減少に転じる。

あなたは、どこに住んでいるだろうか。将来、自分が住む場所に、どのくらいの年齢の人が集まるかを考えることも重要だ。

「老人ホームは高い」

２０４０年の多摩市の医療費推計を見てみよう。

これによると、一人あたりの医療費は２０１０年と比較して１４７％になる。これには診療報酬の改定（引き上げ）などは含まれていないので、70％、80％増えてもおかしくないとの指摘もある。

つまり、社会全体の高齢化が進み、年金所得しかないような人が増える中で、ひとりあたりの医療費が１・５倍以上に上がる。一方、働く人口は減る。

現役世代が、今の枠組みのまま高齢者の医療サービスを果たして支えられるだろうか。

介護も同じだ。そして介護の場合、現状の枠組みだと、介護費用が働く人全体に重くのしかかるだけでなく、介護される側も路頭に迷いかねない。

今から２０６０年頃までのおよそ40年間、高齢者が多く亡くなる時代が続く。団塊世代の人たちが亡くなり、団塊ジュニアが高齢化して、そして亡くなる。当然、亡くなるまでの10年間くらいは介護も必要になるはずだ。

一方、最大の課題である介護スタッフの慢性的な人手不足を解消する道は見えてこない。外国人労働者に期待する声もあるが、東南アジアでも少子高齢化はゆっくりだが進行しており、日本に来てくれるとは限らない。外国人労働者に過度な期待はできない。

現在、都心部だと、看護師が夜も常駐している民間の老人ホームは、月35万円くらい出さないと入れない。安くても25万〜26万円はする。

特別養護老人ホームの利用料でも、年金で入れるような月15万円くらいの施設は都市部にはない。**特養であっても、経済的余裕がなければ入れないのが実情だ。**

施設に入れない人の介護を誰が引き受けるかというと、家族が自宅で面倒を見ることになる。自宅で亡くなる人の割合は東京は17・5%、大阪では15・4%だ。★[11]

自宅での介護も、介護保険ですべてをまかなえるわけもなく、肉体面、金銭面における自己負担が大きい。特に都市部では、地域の共同体のむすびつきも希薄だから、家族がすべてを背負いがちだ。その上、介護離職者も全国10万人を超え、男性の離職者も増えている。

まさに今現在は、ギリギリのところで支え合って、耐えているという表現がぴったりくる。しかし、2040年にはこのモデルは持ちこたえられなくなっている可能性が高い。

なぜなら、未婚率が上昇しているからだ。

2019年時点の75歳以上の未婚者は全国で70万人弱。2030年には約140万人に増え、2045年には約250万人になる。総人口は減るにもかかわらず、未婚の人口は今の3~4倍になるのだ。独身で低所得だった場合、孤立死は避けられない。

恐ろしい未来に、暗くなられただろうか。しかし、希望もある。

★(11) 人口動態調査(2016年)からの小野沢滋氏の推計

将来の医療費を減らすのは、テクノロジー

多くの経済予測が見落としているのは、技術の進歩だ。医療や介護の暗い見通しも、あくまでも既存の技術の延長線上で数字をはじき出している。

国全体の医療費や介護費を下げるには、受診回数や利用回数を下げるか、提供するサービスにかかるマンパワーを減らすしかない。前者はともかく、後者はテクノロジーを使えば難しくはない。

1章で見たように、医療はＡＩや遺伝子治療の導入で大きく変わる。介護もロボットの導入で人手不足は緩和し、コストも下がる。

もう少し具体的に話せば、医療は患者の将来の健康状態を予測する遺伝子検査の精度が高まり、遺伝子治療と組み合わせることで現場に革新が起こるはずだ。病気の進行を抑え、元気な高齢者が増える。寿命を延ばしたり、加齢を止めたりできるように

なる可能性もある。そうなれば、自ずと医療費は下がる。

人手不足で苦しむ介護の現場もロボットの導入だけでなく、さまざまな技術を組み合わせるサービスも多く出てくるだろう。

たとえば、センサーとＡＩを有効活用すれば、施設での夜間の定期的な見守りなども必要なくなる。要介護者の動きのデータを集め、分析すれば、介護スタッフが居室を本当に訪ねる必要があるかどうかもわかるはずだ。

声や表情などでの分析も進むはずだ。こうした技術を使って、属人的だった働き方を技術に任せるようにすれば、スタッフの負担も大幅に減る。

70歳まで働くなら、今と同じ額の年金はもらえる

「老後2000万円問題」が2019年に世間を騒がしたのを覚えている人も多いだろう。金融庁がまとめたレポート[★(12)]が「老後2000万円不足問題」として一大騒動に発展した。慌てた人もいたのではないだろうか。「老後には2000万円も必要なのか」と。

だが、この問題、メディアの数字の切り取りもあり、必ずしも正しく理解されているとはいえない。

レポートは総務省の調査から、高齢夫婦無職世帯（夫65歳以上、妻60歳以上）の家計の平均的な数字から試算したものだ[★(13)]。これによると、年金でもらった額では足りず、毎月赤字が出て20年で1300万円、30年で2000万円の取り崩しが必要になるとしている。

内訳を見ると、主に年金による月の収入が約21万円（正確には年金支給分に限定す

ると約19万円)、支出が約26万円となっている。高齢夫婦2人の収入として21万円が多いか少ないかは意見が分かれるだろうが、収入21万円に対して、支出が26万円かかっている。

なぜこのような数値になっているのかというと、同じ調査によると、高齢夫婦無職世帯の金融資産の平均額が2000万円強となっていることに答えがあるだろう。金融資産とは、預貯金、株式、投資信託、生命保険などの合計のことで、日本の場合は、預貯金が圧倒的に多い。

一般的な高齢の無職世帯が、金融資産を大きく増やすことは難しい。月の収入も決まっている以上、許容できる支出額や赤字額は保有している資産で決まる。つまり、「2000万円不足」が一人歩きしてしまったが、レポートは**「預貯金が2000万円程度あれば、月々5万5000円程度の赤字が出ても、30年程度は無職でもやっていける」と指摘しているに過ぎない。**

支出を減らしたり、働く期間を延長したりすれば預貯金額は2000万円もいらない。自宅があれば売却して、少し狭い家に引っ越してもいいかもしれない。

預貯金額が少なければ、普通はその範囲でやりくりするだろうし、健康でやりくりがうまければ、月21万円の収入の範囲でも生活は可能だろう。

問題は年金だ。はたして、夫婦ふたりで月20万円程度の年金が今後も見込めるかだ。

若い人の中には、「年金は本当にもらえるのだろうか」と悲観している人もいるかもしれない。「年金はもらえないから、払わない」と考える人もいるだろう。

こうした人たちに強調しておきたいのは、極論だが「年金がもらえないことはない」ということだ。

年金がゼロになるのは考えにくい。年金がもらえなくなるということは、日本が滅亡することを意味するも同然だ。もしそのような事態となっていたら、もはや年金を心配している場合でもない。生きるか死ぬかだ。

結論から述べると、現状の延長だともらえるだろう。ただ、厳しい額が待っているというのが正直なところだ。

日本では5年に1度、年金制度の検証をしている。

公的年金の財政が健全であるかや、将来の見通しなどを検証する。ここでは「所得代替率」というものが計算される。これは、もらえる年金が、現役世代の男性の平均月収の何パーセントになるかを示した数値だ。とはいえ、年金がいくらもらえるかは、職業や働いた期間、退職年齢、結婚しているか独身かなどで変わってくる。

この統計では、平均的賃金で働いたサラリーマンの夫が40年間働き、妻が40年間専業主婦の世帯をモデルとして計算している。厚生年金に40年間入っていたと仮定して、老後に、その時点の現役世代の平均手取り収入の何%をもらえるかということをシミュレーションするのだ。

奇しくも２０１９年度は財政検証の年だったので、２０００万円問題が騒動に発展してから約２カ月後に発表された。

２０１９年度の所得代替率は61・７%だ。先ほどのモデル世帯で試算すると、夫婦で約22万円だ。現役世代の手取り平均額の35・７万円に対し、夫婦での年金受給額は基礎年金（国民年金）の13万円に夫の厚生年金の９万円で計22万円になる。

シミュレーションはひとつだけではない。６つのシナリオを仮定している。その中の、経済成長が持続し、高齢者や女性などの労働参加が進んだ最もバラ色の仮定でも、２０４０年の所得代替率は54・３%まで下がる。

そして、経済成長も労働参加も進まない最低のシナリオの場合では、２０５２年度には所得代替率は36%から38%程度まで落ち込む。

それでも、このシミュレーションは前向きすぎる。なぜなら、どの試算でも現役世代の実質賃金★[14]が増える前提だが、直近の過去５年間で実質賃金が増えたのは16年度の

図12 もらえる年金はどれくらい減るのか

所得代替率の減り

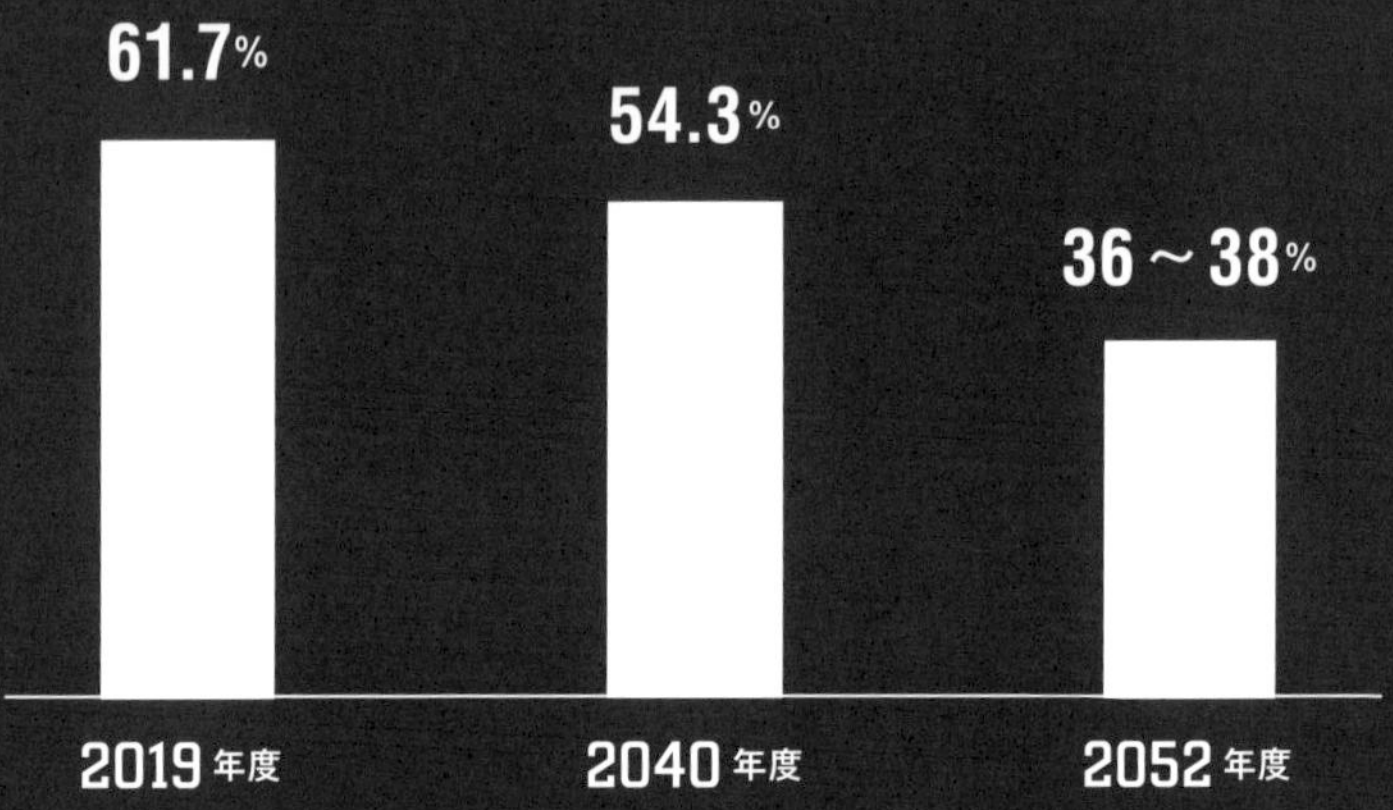

所得代替率とは

現役世代の男性の平均月収の何%になるかの数字

1年しかないからだ。

では我々が、今、年金を受給している高齢者と同じ額をもらうことは不可能なのだろうか。方法はある。長く働き、年金を貰う時期を遅らせるのだ。

現行では、年金受給を1カ月早めるごとに基準額から0・5%減らされる。65歳ではなく、60歳から繰り上げ受給すると年金額は0・5%×60カ月（5年）で30%減少し、65歳開始の人の受給金額の70%の水準になる。

一方、70歳まで繰り下げた場合は、1カ月ごとに0・7%ずつ増える。0・7%×60カ月（5年）で、65歳受給開始の受給額の142%の水準となる。60歳から受給するか、70歳から受給するかで倍違うのだ。

国は財政の健全化のために、受給開始年齢の上限を75歳に上げる方向だ。75歳まで働いてから年金受給を始めれば、所得代替率は100%を超すことも理屈では可能という。100%を超えるということは、そのときの会社員の平均賃金以上もらえることなる。

では、具体的に、どの程度遅らせれば良いのか。

経済成長率が横ばいだと仮定すると、30歳の人は68歳4カ月、40歳の人なら67歳2カ月まで働いて、保険料を納め、同様に年金開始年齢を遅らせれば、今の65歳で年金受給が始まる高齢者と同水準をもらうことができるようになる。

「人生100年時代とよく聞くけど、本当に働かなければならないの」と嘆く声が聞こえそうだが、そもそも国も70歳近くまで働くことを前提にしている。

これにもシミュレーションがある。

これも、経済成長と労働参加が進んだケースでの試算だが、65歳から69歳でどれくらいの割合の人が働いているかを見ると、男性は現状の56・1%が2040年に71・6%へと、15・5ポイント上がる想定となっている。女性は現状の35・0%から54・1%へ、19・1ポイント上がる。つまり、男性の7割以上、女性の5割以上が70歳近くまで働き続けない限り、多くの人が最低限満足するような年金制度は維持できないと示しているわけだ。

年金はもらえる。だが、70歳近くまで働かなければならない。それが2040年の我々の年金のリアルだ。

★（12） 2019年5月
★（13） 統計局の『家計調査年報』
★（14） 物価変動の影響を差し引いて算出した賃金

そもそも、年金のしくみを知っておこう

ここまで年金について説明してきたが、そもそも、しくみを知っておくと話が早い。一部の人には蛇足かもしれないが、ここで簡単に年金がどういう設計でできたものなのか知っておこう。

まず、年金とは社会保障のうちのひとつだ。社会保障は、ほかに医療保険、雇用保険、介護保険、災害補償保険の社会保険がある。また、児童手当、公的扶助、社会福祉、公衆衛生もそうだ。

つまり、国民からお金を集めて、国がこれらのために使い道を決めてお金を払うことで、国民に最低限の生活水準を保障する。一般的な保険と同じように、多数からお金を集めて、それを困っている人に回して国民の生活を安定させるためのものだ。

社会保障の制度設計の土台となるのが将来の人口だ。そして、経済成長率や物価上

昇率、賃金上昇率などを予測して、社会保障のための給付額を決めている。年金をはじめとしたこれら社会保障が危なくなった最大の理由が、やはり「想定外の長生き」だ。経済成長率は鈍っているのに、長生きする人が増えている。国民皆年金や国民皆保険が始まったのは1961年。当時の高齢者の比率は6%程度だった。しかし現在は30%弱だ。これが今後も広がり続ける。

こうした高齢者の増加と一緒に、社会保障として国民に給付する金額ももちろん膨らむ。1970年に3・5兆円だったのが1990年に47・4兆円、2000年に78・4兆円、そして今120兆円規模になっている。

人口の構成比率の変化に合わせて、つぎはぎで修正してきた部分はあるが、根幹の制度は変わっていない。半世紀以上前の制度を運用しているわけだから、「制度が破綻する」といいたくなる気持ちもわからなくもない。

年金は国から自動的にもらえるお金ではない

ここで重要なのは年金、医療、介護の3つは基本的には税ではなく、原則は「保険」として運用されているしくみであることだ。保険料によって原資の多くを賄っている。

「健康保険」が病気にならなかった人のお金で病気になった人を保障するしくみであるのと同様に、年金は、早く亡くなった人の保険料を長生きした人に渡して保障する制度だ。病気にかかってしまったときのために健康保険料を払うように、退職後に予想外に長生きしてしまったときのために年金の保険料を払う。

もちろん、すべてが保険料で成り立っているわけではない。一部の低所得層の人は保険料を支払えないので、その人たちが無医療、無年金にならないように税金で補っている。その税金を消費税で補うのか所得税で補うのかなど意見は分かれるが、いずれにせよ、年金や医療保険は支払いに応じて給付を得る前提がある。

つまり、年金は高齢者になれば国から自動的にもらえるお金ではないのだ。医療が保険であることはわかっている人が多いだろうが、年金も同じだ。

公的年金は「賦課《ふか》方式」で運営されている。賦課方式とは、現役世代から徴収した保険料を高齢者の年金に充てるしくみだ。そして、保険料を払い続けた人たちが高齢者になったときに、その下の現役世代の保険料を年金として受け取る。日本のみならず主要国の公的年金制度は賦課方式だ。

結果として、保険料を支払う人が多く、平均寿命が短かった時代に比べて、保険料を支払う人が減り、国民の平均寿命が長くなれば、給付額も減る。これが年金のしくみだ。年金の支給額が減ったり、支給開始年齢が引き上がったりしているのも、長生きする人が増えたためで保険の性質上はあたりまえのことになる。憤りを覚える人もいるかもしれないが、制度自体が、ここまでの長生きを前提にしてなかったのだ。

もちろん、前項で説明したように、経済の成長率や人口構成の前提によって、もらえる額が変わる。もし現役世代の人口が減っても、高い経済成長が続き、現役世代の給料が増えれば、支給額は減らない可能性もある。経済が横ばいならば支給額は減るが、調整が可能なので破綻はしない。繰り返しになるが、調整ができないときは日本がすでに破滅しているときであり、年金の心配をしている状態ではないはずだ。

将来、医療や年金の保障を手厚くするのを望むのならば保険料が高くなるし、負担を減らしてほしければ、保障は減る。非常にしくみはシンプルなのだが、国民皆年金という原則の下、扶養されている配偶者や困窮している人は保険料が免除されたり、猶予されたりする。こうして、免除や猶予制度を拡充していった結果、総加入者の約2割程度が支払っていない状態になっている。

保険の原理からすると、こうした人たちの給付分は他の加入者の保険料でまかなう。とはいえ、穴埋めする額が膨らめば、税金が投入される。これが年金のしくみだ。

ちなみに、朗報はある。

猶予や免除とは別に、保険料は未納、徴収漏れが意外に多いのだ。

これが5兆円とも10兆円とも指摘されていて、国会でも議論の的になってきた。取りっぱぐれた保険料を5兆円と仮定してこれを回収できたとすると、これは消費税を2％上げたのと同じ効果があり、10兆円ならば4％に相当すると指摘する識者もいる。バカにできない数字だ。

これはひとえに、社会保障関連にテクノロジーの活用がまったく進んでいないことによる。そもそも徴収漏れの額が不透明な時点でおかしい。国の社会保障を占う上では、保険料や税金の引き上げの前にもやるべきことが山積みで、きちんと徴収のしくみを整備するだけでも足しになるだろう。

たとえば所得を把握するにしても、市町村、国税庁、日本年金機構がバラバラにデータを集めているのだ。これでは、共有化以前の問題だ。

医療分野でも、医療、健診、介護などのデータはつながっていない。これを共通化して精緻化するだけで取り巻く環境は大きく変わるだろう。

なぜ日本では保険料の徴収漏れが多いのか

先ほど、保険料は徴収漏れが意外に多いと書いた。

なぜ漏れが多いのか。それは、税金の徴収と社会保険料の徴収を、別々の組織が行っているからだ。税金は国税庁、社会保険料は日本年金機構が徴収している。

日本年金機構は、2010年に社会保険庁を廃止してつくられたもので、厚生労働大臣から委任されて社会保険料を徴収する組織だ。

一本化されていないので、非常に非効率的なやりとりになってしまっている。税務署は会社の財務を調べるときに、その帳簿を見れば、法人税のみならず、社員から天引きした社会保険料が納められているかも同時にわかる。だが、自分のところの管轄ではないため、調査に入った税務署員が保険料の未納を発見しても、年金機構と連携するケースは稀だ。役所の縦割り行政の弊害が出ている。

同じく、年金機構も社会保険料が納付されているか、そして源泉徴収税も調べているので、ふたつの機関でほぼ同じ作業をしていることになる。

一本化すれば、税金や社会保険料を効率的に徴収でき、その上人件費を大幅に抑えることもできる。誰もがそう考えるだろう。**先進国のみならず旧共産圏でもこれらのふたつの機能は「歳入庁」として一本化されているのは常識だ。**

日本でも歳入庁構想が浮かんだことはあるが、実現していない。財務省OBなどによると、この原因は役所の利権によるものだと指摘されている。

現在、国税庁は財務省の機関だ。しかし、日本年金機構と統合され、歳入庁になると内閣府の管轄になる可能性が高い。そうなると、財務省は国税庁の人事権、つまりポストという既得権益を失うことになる。財務省が徴収漏れよりも、消費増税による社会保障の拡充を声高に叫ぶのもこうした背景があるという。

とはいえ、右肩上がりに膨らむ社会保障費を前に、官僚の反対があろうが推し進めるべき構想ではないだろうか。

図 13 │ 別の組織が徴収するので、未納を発見しづらい

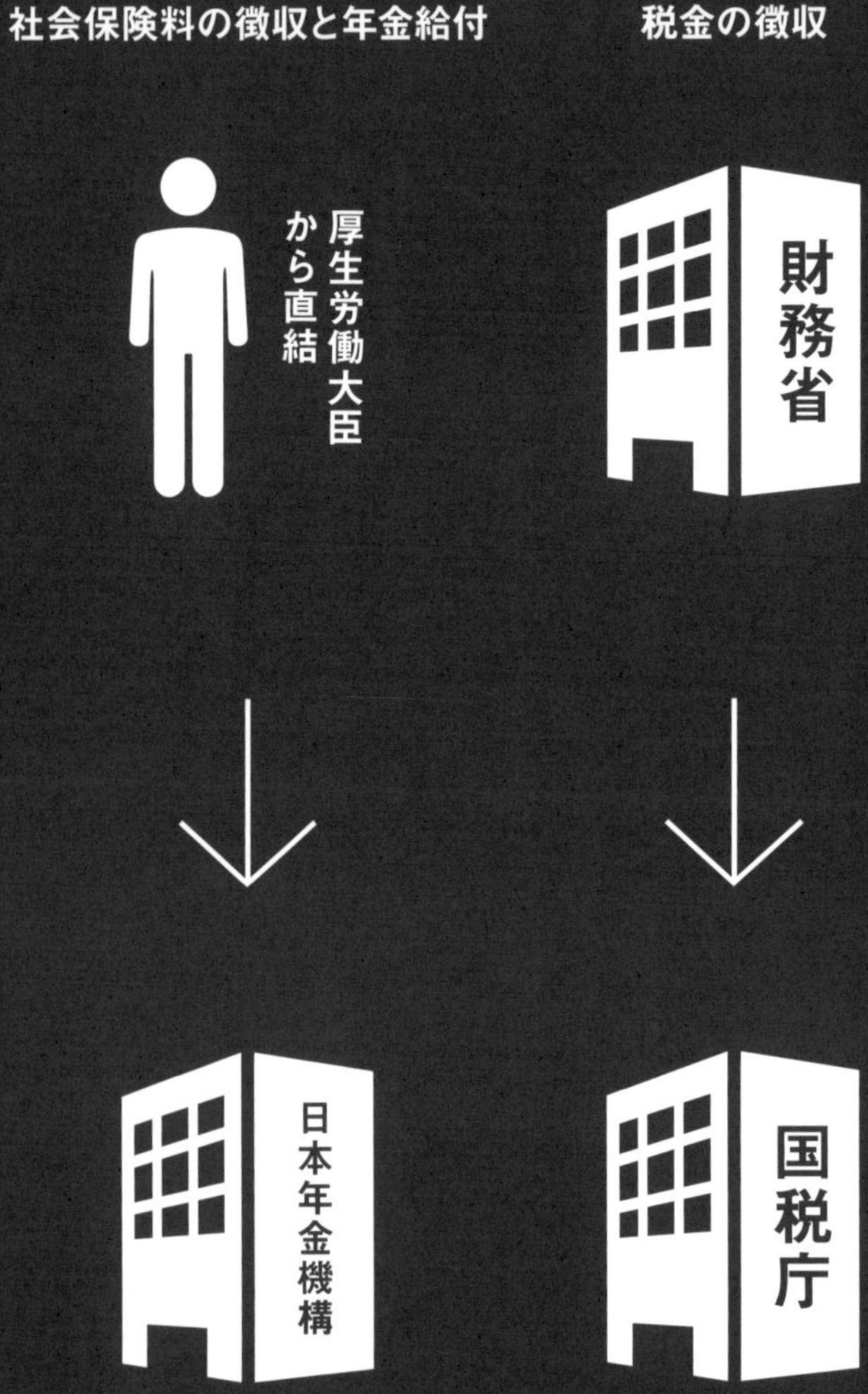

日本ですばやい経済対策ができないのはなぜか

縦割りの弊害は税金と保険料だけではない。今回のコロナ禍で、素早い経済対策ができなかった理由のひとつでもある。

意外なことかもしれないが、税金を徴収している国税庁は、個人の給与所得をはじめ、さまざまな所得情報は見るが、管理しているわけではない。これもまた、違う組織の管轄なのだ。課税したときに、個人の所得情報もわかるが、それは、国税庁から市町村に提供され、そこで管理されている。全国規模で生じた新型コロナの現金給付を、全国の各市町村が事務を担い、支給していたのは記憶に新しい。所得証明書も国税庁ではなく、市町村から発行される。

つまり、国税庁は「税金を取るところ」、市町村は「個人所得や財産などの情報を収集し、税を課し、必要に応じて給付も行うところ」という役割分担となっている。そのため、緊急時でも、全国共通基準による迅速な対応が難しくなっているわけだ。

海外と比較するとわかりやすい。新型コロナ対策におけるアメリカでの現金給付は、所得に応じて細かい基準で支給された。単身者の場合は所得が7万5000ドルまでであれば一律1200ドルで、7万5000ドルを超えると給付は段階的に減らされ、9万9000ドルからは支給はされない。夫婦合算で申告する場合は、所得制限、給付額ともに単身者の2倍で、扶養する子どもがいれば一人について500ドル加算される。

これらは、アメリカの納税者番号である社会保障番号の届け出がある人にのみ給付している。社会保障番号と銀行口座が紐づけられているため、2週間程度で給付金が振り込まれる。日本では、今回の給付にあたり、市役所で住所と口座が本人のものかの確認をすることとすら大変だったが、その必要もない。

アメリカで、細かい基準を設けながらも迅速に対応できたのも、歳入庁がすべてを取り仕切り、個人情報までを把握しているからだ。これがあれば、危機時の対応も早く、申告漏れもなくなる。日本も税や社会保険の窓口を一本化すべきだし、個人の所得の捕捉をより細かく進めるべきだろう。

会社員が最も税金を払っている

「トーゴーサン」という言葉を聞いたことがあるだろうか。税金の捕捉率を示す言葉だ。給与所得者10割、自営業者5割、農林水産業3割という意味で使われる。

サラリーマンなどの給与所得者は源泉徴収で引かれるため、捕捉率はほぼ100%だ。しかしながら、自営業者や農林水産業の中には経費の線引きもあいまいなまま申告する者も少なくない。税務署もすべての経費を細かくチェックする余裕もないのが実情で、正確な所得の捕捉がそれぞれ5割、3割程度ということだ。

マイナンバー制度がなぜ生まれたかというと、この現状を打破するためだ。

ここで、マイナンバーカードをおさらいすると、国民ひとりひとりに番号を割り当て、個人の所得や年金、納税などの情報をその番号に紐づけて管理する制度だ。2016年1月に始まったが、マイナンバーカードの普及率は20年4月1日時点で16・0%にとどまっている。

普及は十分とはいえないが、コロナ禍での給付金支給の混乱もあり、マイナンバーと預貯金口座の紐づけの議論が急浮上している。マイナンバーが銀行口座と紐づけられれば、お金の流れが見える化され、所得の捕捉率は高まる。**数兆円規模の増収につながる可能性が高い。**

マイナンバーの議論にはプライバシーの侵害などを懸念する声もあり、多くの国民が冷ややかだが、真面目に納税や納付をしている人ほどバカを見ているのが現実である。

組織ごとにバラバラに管理しているものは他にもたくさんある。年金の基礎年金番号や介護保険の被保険者番号、自治体での事務に利用する宛名番号などだ。マイナンバーを使えば、所得税の捕捉だけでなく、これらを一本化できるようになる。

増税や社会保険料の引き上げの前に、公平性を担保できるしくみづくりはやはり不可欠だろう。

ベーシックインカムは実現化するか

ベーシックインカムは、コロナ禍以前からフィンランドなどで実験がされてきたが、新型コロナの感染拡大で失業や困窮が世界的に広まる中、スペインやブラジルでも試験導入された。英国のジョンソン首相やローマ教皇までもが、必要性を訴え反響を呼んだ。

ベーシックインカムとは、単純にいうと、定期的に無条件に国民全員にお金を配る制度だ。日本でベーシックインカムが導入されるためには、マイナンバーで所得税や社会保険料が捕捉され、歳入庁により社会保険料の漏れがなくなるような体制が整うことが必要だが、これができれば真剣に考えることができる。

ベーシックインカムは、社会保障を現金給付に一本化して、国民に最低所得を保障するしくみだ。今回のコロナ禍では日本でも生活に困る人が少なくなかったが、現金給付の決断までに時間がかかった。他国が次々と給付を始める中、どうして日本は遅いのかと思った人もいただろう。また、額は少なくてもいいから早く欲しいという人も多かったのではないか。

当初は困った人に30万円給付という案だったが、最終的にはひとりあたり10万円になった。そして、10万円支給が決定した後も、役所の縦割り行政が混乱をもたらしたのは前述のとおりだ。

そもそも日本の社会保障の考え自体が、つぎはぎでやってきたものだから、完全に現状に沿っているとはいえない。

今の社会は、非正規雇用が拡大するなど就労環境が不安定な人が増えた。日本の場合、非正規雇用者は正規雇用者に比べて、法的にも解雇されやすい。景気が悪くなれば、簡単にクビを切られてしまう存在だ。**社会全体で、ほんのはずみで、あっという間に困窮しかねない層が分厚くなっている。**一方、これまでの社会保障は、「働ける人」の社会保障と「働けずに保険料が払えない人」のふたつを対象にしていた。非正規雇用者は制度の枠外にいる存在といってもいいすぎではないだろう。

だが今回のコロナ危機で、政府も、さまざまなタイプの困っている人が多いことに気づいたはずだ。体が弱く命を失う恐れのある人、生活のめどが立たない人、ひとりで住んでいる高齢者など、さまざまな人を助けながら、全体を改善していくことが改めて重要であることに気づいたはずである。

残念ながら、新型コロナのようなウイルスの危険性はこれからもある。その上、日本は自然災害のリスクとも常に隣り合わせである。誰もが昨日までの日常がいつ崩れるかわからないといえるのだ。多種多様な状況があるのに、これまでの画一的な保障が合うわけがない。そうした意味でも、手間をかけずにそれぞれにお金を配ってしまった方がよっぽどいい。ベーシックインカムは2040年に向けて議論すべき政策だろう。

ベーシックインカムを実行するとなると、財源の問題がどこにあるのかという議論になるだろう。10万円給付に二の足を踏んだのも、給付に必要な約12兆円が重くのしかかったからだ。

もちろん詳細な検討は必要だが、現在の社会福祉や助成金をベーシックインカムに回せば、財源は足りるとの指摘もある。

全員に一律給付するため、行政コストもかからなくなる。助成のために家庭や個人をわざわざ調べる必要もなくなるし、支払いの窓口も一本化できるはずだ。

救世主になるかもしれない経済学理論、MMT

MMT（現代貨幣理論）を知っているだろうか。最近、注目を集めている理論だ。

このMMTは簡単にいえば、自国での通貨を発行できる国は財政赤字により破綻することはないという理論だ。これを導入すれば、ベーシックインカムの財源すら心配する必要がないかもしれない。

コロナ禍で、財政悪化を招くから現金給付は控えろと主張する論者がいたが、個人や小規模事業者が生きるか死ぬかの状況でのこの発言に違和感を抱く人もいたはずだ。こうした現状もあり、新しい希望の理論としてMMTが注目されている。

MMTに則れば、日本のように通貨を自分で発行できる国は、財政のことは気にせず、経済対策をすべきだということになる。極論では、無制限にお金を刷っても問題ないということになる。

当然、無制限にお金を刷れば、ハイパーインフレになってしまうという反論がある。

ハイパーインフレとは極めて短い期間に物価が上昇することだ。定義はいろいろあるが、簡単にいうと、今日100円で買えたジュースが来月には150円になって、3カ月後には350円になる世界だ。21世紀になってからの有名なハイパーインフレとしてはアフリカのジンバブエがある。2008年11月に、前月比796億%という、桁を数えるのにも苦労しそうなすさまじいインフレを起こしている。

これに対して、MMT論者からの反論としては、歴史的なハイパーインフレと財政赤字の政策には因果関係はないということがある。ハイパーインフレは、戦争などの異常事態で生産体制が崩壊したりなど、供給能力の制約が原因だとしている。ジンバブエのインフレも、独裁政権の農地改革により、食糧の生産体制が崩壊したことが原因だ。

つまり、異常な状態に陥らない限り、財政赤字が膨らもうが、自国通貨を発行している限りインフレはコントロール可能というのだ。

本当にインフレが起きた場合に制御できるのかなど、それに対する再反論ももちろんある。しかし、そもそもこうした議論が脚光を浴びるのは、我々を取り巻く現状に経済学の理論が追いつかなくなっているからだ。

財政赤字が拡大すれば国債価格が暴落し、通貨安が進み、インフレになるとの見方が経済学のセオリーだ。

だが、日本はどうだろうか。財政赤字は拡大する一方だが、金利も低く、物価も安定し、インフレよりデフレを懸念しなければならない。まったくもってインフレにならない。

再度いうが、デフレから脱却しようとするために、政府は国債を大量に刷り資金を供給しているが、インフレが起きる気配はない。**海外では「日本がMMTの成功例」という評価すらある。**MMTを意図せずして実践しているとする識者がいるのだ。それだけに、本格的にMMTが受け入れられる土壌は揃ってもいる。

MMTは荒削りな議論ではあるが、検討の余地は大きそうだ。

日本のGDPはお先まっくらなのか

人口が増えない国は、お先が真っ暗なのはもうわかったと思う。

日本の人口は2008年がピークだったことはもう述べた。

政府がまとめた高齢社会白書(2018年)によると、2045年には1億1000万人を割り、2055年には1億人の大台も下回る。そして、2100年には現在の半分以下の6000万人規模になると予想される。

さらに恐ろしいのは高齢者比率だ。高齢者を65歳以上とすると、2035年にはほぼ3人にひとり(32・8%)、2065年には2・6人にひとり(38・4%)になる。

誕生する子どもが減少し続ける状況は、変わらないどころか、加速する。医療の発達と食生活の改善などで、それまでなら亡くなった人たちも長生きする。

この数字は国にとっても予想外だったらしい。1980年の人口推計では、高齢者はどんなに多くても約2500万人と考えられていたが、直近の推計では、2040

年前後に4000万人になると試算されている。

働く人が減り、足下の日本経済の情勢からも右肩上がりの成長は見込めない。お先まっくらな気分になっている人も多いだろう。実際に、日本経済の将来については国内外多くの予測が出ているが、悲観的な見通しも少なくない。

日本は今後40年でGDPが25%以上減少するという分析もある。★(15) 数字だけ聞くと驚くだろうが、不思議な話ではない。

GDPとは、いうなれば、日本全体の給料の総和だ。

人口が減ればGDPは減少する。あたりまえだ。そして、25%減となると給料の4分の1が吹き飛ぶことになるが、年率にすると0・7%程度だ。逆にいえば、0・7%程度でも今後40年で25%減になるわけだが。

ただ、この前提は大きな欠点がある。賢い読者はもうお気づきだろう。医療費の項でも指摘したが、日本の技術の進展が一切加味されていないのだ。

40年間、日本がイノベーションを起こさないどころか、技術進展も何も起きなければ、IMFの予測が現実になることもあるかもしれないが、さすがに無理筋だ。そして、ＩＭＦの指摘した年０・７％程度の減少であればテクノロジーの活用で十分補える範囲だ。

しかしながら、マクロでは日本全体の少子高齢化をテクノロジーでカバーできても、**ミクロでは、少子高齢化により立ちゆかなくなる分野は、産業をはじめ多岐にわたって出てくることもまた疑いようがない。**

たとえば、ＡＩにより、人間の仕事を奪われるとはよくいわれるが、ＡＩによらなくても、人口減少はあなたの仕事を奪ってしまうかもしれない。特に地方への打撃が大きい。次の項目から、詳しく見ていこう。

★〈15〉 ＩＭＦのレポート。２０１８年11月

地銀はすでに存在が危ぶまれている

まず、地方自治体に影響が出るだろう。すでに財政難に陥っている自治体も少なくないが、人口減少が追い打ちをかける。

現在、製造業などの大規模の雇用を生む工場が海外に流出し、代わりに新たな企業の誘致もままならない。そうなると市税は目減りし、地方交付税の減少も響く。地方交付税とは、国から地方自治体に配られる金だ。一度国が、国民や企業から税金をまとめて徴収するが、各自治体に国が必要と判断する公共サービスを提供できるように再配分しているものだ。

ただ、国の財源の問題もあり配分の見直しが進む可能性が高く、これまで交付税頼みだった自治体の財政の悪化はとまらない。

数年前、人口減少によって多くの地方自治体は今後消滅する可能性があると話題となった。**2040年、「地方消滅」は決して可能性ではなく、現実問題だ。**

たとえば、道路、図書館、美術館など、この10年ほどの間に公共インフラが民営化されたり、運営委託されたりが急速に進んでいる。それはどうしてだろうか。かつては、公共施設を民営化することには現場の反発が強かったが、団塊の世代が退職する一方で少子化が進み、役場も若手の人材が不足している今、財政も人的な余裕もないのだ。そうした中でも老朽化する設備は更新しなければならない。

人も金も足りない中、民間に運営や更新を任せようという流れが生まれ、加速しているのが現状だ。

公共の施設の運営で、民間が効率的で質の良いサービスを提供する動きが広まれば、自治体の役割も自ずと変化を求められる。公務員も安穏としていられない時代になることは間違いない。

地方消滅の危機は、地元の人気企業にも影を落とすだろう。

20年ほど前までは、上京した大学生が地元に戻って就職する際に人気だったのが「県庁」と「銀行」だった。いずれも「絶対に潰れない」と信じられていたからだ。

しかし、状況は大きく変わっている。自治体の職員を取り巻く環境については先ほど触れたが、地銀はすでに存続自体が危ぶまれている。

金融庁が２０１８年に出したある衝撃的な報告書がある。

東北や四国など23県の地銀は、地域でいくら独占的な存在になっても、人口減少があるかぎり不採算構造は変わらないと指摘したのだ。

つまり、根本的なビジネスモデル自体が立ちゆかなくなっているというわけだ。店舗や人員を減らそうが時間稼ぎに過ぎない。金融庁は銀行の監督官庁である。いわばプロのスポーツチームの監督が選手に「君はちょっともう無理かもね」といっているのに等しい。

教育分野は2040年は厳しい

地方と同じくらい厳しそうなのが、教育関連産業だ。教育や塾などの学習支援産業は、約350万人が従事する巨大産業だ。

日本の大学は、子どもの数が減りつつあるにもかかわらず右肩上がりに増え続け、現在、782校を数える。★(16) 1989年が499校だったので、平成の間で約300校、1年に10校のペースで増え続けたことになる。

これは、あまりにも異常なペースである。

なぜこれほど大学が増えたかというと、「大学くらい出なければ」という日本人特有の同調圧力から、大学への進学が増えたとの見方が一般的だ。

実際、大学進学率は1994年には30・1%だったが、2004年に42・4%、2014年に51・5%、2018年には53・3%まで高まっている。「とりあえず大学に行こう」と考える層はいまだに増えており、そのニーズを満たしてきたわけだ。

新設大学の一部は大学以外の教育機関も運営する学校法人が多い。そのため、定員割れがすぐに廃校に結びつくわけでないが、じわじわと体力を奪っていくだろう。少子化により、どのような教育機関であろうと分母自体が減っていくのだから、これは間違いのない未来だ。

もちろん、介護やロボット関連など、少子高齢化に伴い需要が増える産業もあるが、多くの産業は、ほとんどが現在の状況を事業の前提としている。自ずと今の状態のままではいずれ行きづまるだろう。

みなさんが現在60代なら「逃げ切れる」かもしれないが、50代前半以下ならば2040年に向けて備えが必要だろう。それくらい人口の変化が大きい。

年金ではともかく、退職金で逃げ切れると計算している人もいるかもしれないが、2040年は退職金すらあてにできない時代になっている。

★〔16〕 2019年12月時点

退職金はそもそも払わなくても違法ではない

本書を読み進めているうちに「年金が少ないなら退職金でなんとかしのごう」と頭に浮かんだ人は少なくないはずだ。だが、日本に長らく根づいてきた退職金制度は、2040年には過去の遺物になっている可能性が高い。多くの人が「退職金」と呼ぶ制度は定年、もしくは中途の退職時に一括でお金を受け取る制度だと思っているだろう。

退職金について正確に説明すると、退職一時金と、定年後に年金として受け取る退職年金（企業年金）とのふたつがある。実際の選択肢は、退職金を一括で受け取るか、一部を一時金として受け取り、残りを企業年金化するか、すべて退職年金にするかの三択となる。しかし、中小企業などは企業年金がない場合が大半だ。また、税制でも、圧倒的に一時金での受け取りが優遇されている。

企業によって形態も選択肢もバラバラなのは、そもそも、退職金が企業の義務ではなく社内制度に過ぎないからだ。社業規則に退職金の規定を設けた場合は支給しなければならない。**しかし、退職金制度を設けなくても違法ではない。**

現時点では大企業では約9割、日本全体では約8割の会社が退職金制度を設けているが、減少傾向にある。厚生労働省によると、退職金制度を廃止したという企業は2008年は16・1％だったのに対し、2018年は22・2％と増えている。[★17]

たとえ退職金制度が維持されても、もらえるお金の減少は避けられないはずだ。

今から24年前の1997年、サラリーマンの平均的な退職金額は3023万円だった。それが2017年の調査では1997万円[★18]と、20年間で1000万円程度減っている。このペースで推移すれば、20年後の2040年には1000万円を割り込む可能性がある。退職一時金はあくまでも自社での積み立てなのだ。だから、会社の業績が悪化して倒産すれば、年金とは異なりゼロになる可能性ももちろんある。

退職金制度の維持に企業が後ろ向きなのは、この制度の本質を理解すると納得できるかもしれない。

★〈17〉 就業構造基本調査
★〈18〉 会社員（大学・大学院卒）で勤続35年以上の場合の平均。就業構造基本調査

図14 ｜ もらえる退職金の額

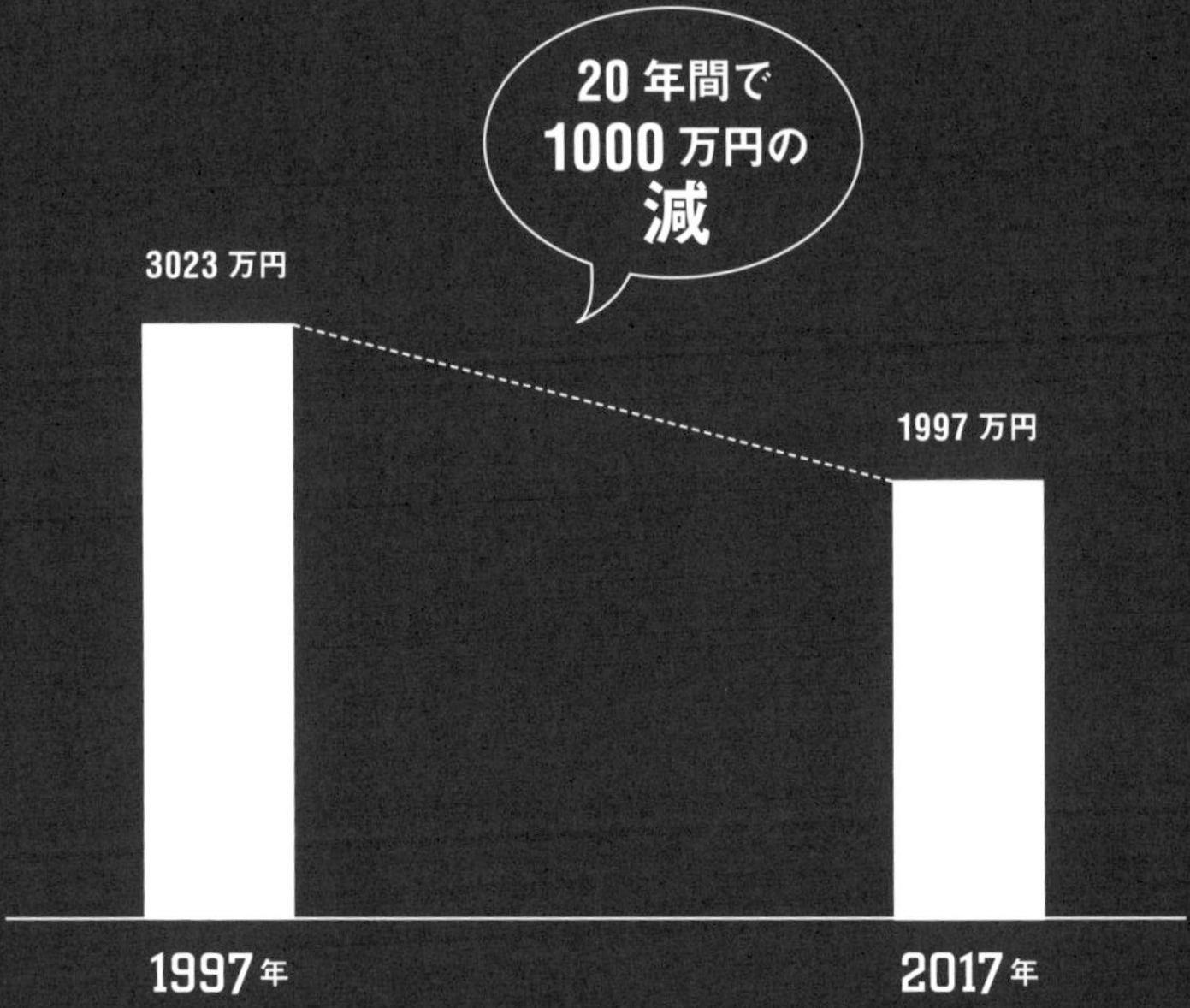

退職金は、給料が安い代わりに退職時に多く支払うことから生まれた

退職金の起源は諸説あるが、江戸時代の暖簾《のれん》分けから生まれたといわれる。功労に対する報償だとされている。つまり、これまで頑張ったから支払われるという位置づけだ。暖簾分けのようなものだから、退職金が始まった当初は、今とは比べようもないほど巨額だった。

１９１７年に制定された三菱の「使用人退職手当内規」がある。これによると、退職金額は、20年働いた人で最終月給の１３０カ月分（約11年分）、25年だと１９０カ月分（約16年分）、30年勤続では２３０カ月（約19年分）にもなっていた。今ならば月給30万円の平社員でも７０００万円近く支給される計算になる。

三菱がいちばん高いが、住友、三井ももちろん手厚かった。

これがなぜ、日本全体の企業で普及したかというと、明治から大正にかけて工業化が進み、生産現場での人の確保が課題になったからだ。会社が退職金を用意し、「今

は高い給料は払えませんが、長く働けば働くほどお金がもらえますよ」と、労働者を定着させようとの狙いで多くの企業で導入されたのだ。

退職金制度とは在職中の低賃金を退職時に補完するとして、長く会社にいてもらうというしくみから生まれたのだ。つまり、退職金は、退職時に巨額のボーナスが通常の給料と別にもらえるという意味ではない。

これは現在の日本における大企業の大半の給与形態も同じだ。若い頃の給与は安く抑えられるが、年齢を重ねるとともに賃金は上がり、最後にまとまったお金を退職金としてもらう。**つまり、企業にとって退職金は「賃金の後払い」のようなしくみだ。**

戦前、欧米列強に追いつけ追い越せの日本は、本来ならば従業員に払うお金を退職金という形で未来に先送りにすることで、手元の資金を厚くして設備投資などに振り向け、産業化を進めた。

その後、日本の戦後を支えたのは製造業だ。特に退職金制度は、これに適した制度であった。右肩上がりに成長が続き、人口も拡大局面にある中、工場で働く多くの若者を囲い込み、現場の教育で自社に固有の技能を磨かせる。**退職金、終身雇用、年功序列は中小企業にも広がり、日本経済を支えた。**

若い頃の給与は安いが、その後給料は50代中盤頃にピークを迎え、退職金で住宅ローンを一括返済し、老後も安心。**昭和のサラリーマンがなかなか転職しなかったのも、勤続年数が退職金に比例するため「今更やめたら損」という意識を持たせたのも大きかった。**

若者は、バリバリ働いた若い時代の給与を、高齢になってから取り戻すために会社を辞められない。高齢者は、能力が低くても高賃金なので、居場所がなくても辞めない。昭和のサラリーマンの人生が所属企業と一蓮托生だったのは、浪花節的精神を持ち合わせていたわけではなく、金銭的に明らかにそのような選択が合理的だったからに過ぎない。それを象徴するのが退職金だったのだ。

だが、ご存じのようにもはやそうした状況ではない。製造業から非製造業に産業の主役は変わった。ＩＴ業界に顕著なように、技術の進展に自社の人材教育だけでは間に合わなくなった多くの企業は、中途採用を増やすようになった。

中途採用が一般的になった今、会社に長くいるから退職金が多いというのは平等とはいえないとの不満も当然出てくる。

これまでは、「後払い」のお金をもらい損ねることに不満を持つ人々が社内で意思決定権を持つポジションにいたため、大胆なリストラや賃金体系の抜本的な改革は、可能な限り先延ばしにされてきた。しかし、もはや限界に達している。トヨタ自動車の社長や経団連会長が「終身雇用は無理」といってはばからないことからも明らかだろう。

2019年に入り、日本の大企業でもようやく新卒の報酬体系の見直しが始まった。ユニクロを運営するファーストリテイリングは、入社3年以内で最大3000万円支払うしくみを設けた。NECは新卒に、実績によっては1000万円を支給、くら寿司は幹部候補生を年収1000万円で募集している。「これまで」ではなく、「今」を評価し、「給料の後払い」を変えようとする動きが広がりつつある証左だろう。

とはいえ、多くの日本企業の賃金モデルは「若いときは安く、年をとってから高く」の長期雇用を前提とした古くさいモデルから変わっていない。

しかし、あと20年後には様変わりしているのは間違いない。あなたが定年を迎えるのは、何歳だろうか？　退職金をあてにするのは危険だ。

民間の保険には入らない方がいい

社会保障は先行きがわからず、退職金もあてにならないとなると、老後にどのように備えればよいのか。頭をよぎるのは生命保険や医療保険、投資ではないだろうか。2040年に向けて、これらにどのようなスタンスをとるべきかについて触れておこう。

まず、生命保険や医療保険はムダな出費である。私個人は一回も入ったことはないし、私が今、20代、30代でも入らない。**国民健康保険や組合健保などの、日本の公的保険制度はたいへん充実しているからだ。**

自分が死んだら、家族が路頭に迷うのではと心配になる気持ちはわからなくもないが、もし、あなたが会社勤めならば遺族には遺族年金が支給されるし、大企業ならば弔慰金もある。

たとえば、夫（35歳、会社員、年収500万円）、妻（35歳、専業主婦）、長男（5

歳）の３人家族で妻と子どもが残された場合、妻子には子どもが18歳になるまで遺族年金が年約１５０万円支給される。これだけで、単純計算で２０００万円近くになる。そして、その後も、しくみは細かくなるので省くが、妻には65歳になるまで年間約１００万円が支給される。あわせて、３０００万円近くになる。

もちろん、遺族年金だけでは子どもの進学や老後などを考えれば足りないだろうが、こうした支給があることも考えずに、よくわからないまま、いわれるがままに保険に加入していないだろうか。

そもそも、日本の生命保険は保険料が高すぎる。生命保険会社は、絶対に自分の会社が損しないように、保険料と支払額を設定している。東京にミサイルが飛んできて首都が壊滅状態で死者累々となっても、生保だけは経営が揺るがない。それほど法外に儲けているのだ。

医療保険や、日本人が大好きながん保険もいらない。脳卒中、心臓病、がんだろうが基本的に治療代は公的保険でカバーできる。高度医療も公的保険でほぼカバーできる。特別な先進医療は別だが、そうした医療が必要な病気にかかる可能性は極めて小さい。もちろん、入院時の差額ベッド代など公的保険が適用されないものもあるが、実費で払えばよい。保険料として支払う額よりは小さい。

また、事故にあって、体に障害が残ったとしても障害者年金が国から支給される。身体や精神に障害があるのに障害年金について知らず、受給していない人は意外に多い。

こうした情報を知らず、民間の保険に入ってしまっている人は少なくないだろう。保険会社が不安をあおっているのもあるが、ムダ遣いだ。月に保険料として3万円払っているとしたら、年間36万、5年で180万円である。保険料にあてるより有効に使った方がいいし、そんなにリスクばかり頭をよぎるのならば老後に回すべきだ。

預貯金はもう意味がない

前述したように、国のカテゴリでは年金は保険だ。福祉ではない。国が施してくれるお金ではなく、考え方としては若いときに負担したお金を将来返してもらうしくみだ。なので、負担は低くして、多くのお金をもらいたいというのは構造的に無茶な話だ。日本の現状を考えれば、老後資金は自分である程度用意せざるをえない。

だからといって、金融機関にコツコツと預けても意味はない。

かつては、預貯金は資産形成を後押ししてくれた。たとえば、郵便局の定期貯金の金利は1961年から1990年代初頭まではほぼ年5％以上で推移していた。1970年代には7％を越していた時期もある。100万円を1年預けておくと、何もしないでも107万円になったのだ。

金利を6％とすると、預けっぱなしにしておくと、もともとの元本に利息が加わり、新たな元本として再投資され、12年で元本が2倍になった。アインシュタインが人類最大の発明と呼んだように、利息がつく複利の効果は偉大だ。

ちなみに今は銀行も郵便局も超低金利だ。定期でも約0・01％という驚くべき金利の低さなので、複利効果に期待しようとも元本が倍になるのには7200年かかる。かつての12年が今は7200年である。

そもそも、「老後2000万円問題」は老後のために「預貯金以外の金融サービスを使って個人で老後資金をつくりなさい」という金融庁のメッセージだ。

「失われた30年」という言葉がある。日本でバブル崩壊後、30年以上にわたって経済の低迷が続いたことを指す。

この間、日経平均株価のグラフは平たんだった。そこで金融庁は、預貯金に偏重している日本人の個人資産を金融市場に呼び込み、日経平均を押し上げることで、みんなで資産を増やそうと訴えたかったわけだ。そして、たしかに保険に意味がなく、預貯金がだめならば、投資しかない。

これからの時代はテクノロジーよりも政治が株価を決める

とはいえ、あなたが運用の素人ならば、吟味しなければならない。投資といえばまっさきに思い浮かべるのが株だ。ただ、これからの株への投資には政治リスクをこれまで以上に考えなければならない。

現在でも、株価は経済環境の影響とは切り離せないが、それより大きいのが、GAFA（グーグル、アップル、フェイスブック、アマゾンドットコム）に代表されるように、企業の戦略や最新技術の将来への期待だ。GAFAならば、彼らの手がけるクラウド事業やAIが世界を支えると判断するからこそ、株価が高値になる。

だが、これからの時代はテクノロジーよりも政治が株価をより決めることになる。

すでに、その兆しはある。みなさんもご存じの米中貿易戦争だ。

米中の関係は、本質的には世界の経済の覇権争いだ。第二の冷戦といわれている通り、アメリカによる対中関税と中国の報復関税は常態化して、米中間では多くの品目が高関税のままになることが予想される。

アメリカの産業は、中国の部品や素材に依存している。結局ここに自国民が負担を強いられ、それによって消費者の痛みも大きくなる。２０２０年に入り、この米中貿易戦争が停戦状態なのは、トランプ大統領（当時）が大統領選をにらみ、経済の安定を狙ったことや、コロナ禍でそれどころではないからに過ぎない。

ちなみに、アメリカはＥＵ（欧州連合）とも関税を巡り対立が激しくなっている。政治が世界中の産業に及ぼすリスクは高まるばかりだ。

米中の動きを見てわかるように、ＷＴＯ（世界貿易機関）のような国際機関が無力化している今、世界経済は各国が関税を課しあう時代に逆戻りしているようにも映る。**そうした時代に、一企業のテクノロジーなどの可能性で株価を占うのはあまりにリスクが高い。政治の前には、一個人など無力に等しい。**

そうなると、日本や外国企業の中から一社を選んで投資する個別銘柄に手を出しづらくなる。政治的リスクが高まれば、一企業の将来など政治家でさえ予想できない。これからの時代は、株価が上下動する変数がこれまで以上に多く、難度が高く、心臓に悪い。長期的な資産形成には向かなくなる。ちなみに、個人向け国債も世界情勢が読みづらいので買えないが、そもそも儲からないので資産の形成に向いていない。

資産形成したいならインデックスファンド

では、何がいいだろうか。**資産形成したい多くの人には「株式のインデックスファンド」一択だ。**株式のインデックスファンドとは、日経平均株価やダウ平均株価などの株式指標に連動するように運用している投資信託のことだ。債券のインデックスファンドもあるが、構造が複雑なため、初心者は避けた方がよい。

なぜ株式のインデックスファンドがいいのだろうか。たとえば、ダウ平均と連動している株式のインデックスファンドならば、アメリカ経済が堅調ならば、自ずと利益が上がる。**ざっくりいうと、「その国自体が大丈夫かどうか」という視点で選べる。**

アメリカ経済の100年後は、中国との覇権争いも激しくなっており、わからないが、数十年は揺るがないはずだ。先進国の中、人口が増え続ける唯一の国だからだ。アメリカが直近の20年で経済がボロボロになっているときは、日本も崩壊している。その場合、あなたは老後より生命の心配をしなければならないから、もうしょうがない。

インデックスファンドは何百種類もある。どんな資産形成をしたいかによって、選択肢は変わるが、手堅く狙っても、年2〜3%程度のリターンを期待できるファンドは少なくない。年率のリターンを3%で月4万円ずつ積み立てると仮定すると、30年で2100万円を超える。同じ期間、預貯金に振り向けても1500万円にもならない。同じく、預けっぱなしでもこれだけの差が生まれる。

預貯金よりはリスクはあるものの、個別株に比べれば市場全体に連動するためリスクは小さい。

インデックスファンドをやらずにコツコツ貯める選択ももちろんある。70歳まで働けば、年金も現在と同じ水準でもらえる。あなたが、どのような未来を生きたいかで考えるべきだ。

ただ、ひとつ確実なのは、誰にでも老いは平等に訪れるということだ。

chapter

#03

2040: Our World

衣・食・住を考えながら、未来を予測する力をつける

衣食住の未来は、短期的にコロコロ変わる

この章では、未来の生活がどうなっているのかを見ていきたい。これから、あなたの生活がどう変わるかを知っておくことは、プラスになるだろう。

しかし、この分野の未来予測は、たぶんいちばん難しい。テクノロジーの進展が速く、また、不確定要素が多過ぎるからだ。

明治時代に今の生活を予想する方が簡単だっただろう。**明治時代との最大の違いは、環境問題である。**自然災害のリスクや温暖化などはこれから深刻になる。結果として、環境にやさしく、そして自然災害のリスクを減らすために新しい技術やサービスが生まれることも多くなるはずだ。また、人口の増加とそれに伴う食料危機もある。現在は「イロモノ」扱いされかねない培養肉や昆虫食が、我々の想定よりも早く、食卓にあたりまえのように並ぶだろう。

そして、生活、特に本章で触れる「衣・食・住」の未来を考える際に、ここでも触れざるをえないのが未知のウイルスの脅威だ。

たとえば、我々の暮らしに密接な、日本の不動産ひとつとってもウイルスの脅威は予測を難しくする。

日本の地価は50年後には下落している可能性は高いが、果たして2030年はどうだろう。人口減少に伴い空き家が増え、地価は下落の一途というストーリーが定説だが、これは新型コロナウイルスの出現で短期的に状況が変わる可能性がある。

世界中の政府が経済の刺激のために、コロナ禍で大量のマネーを供給した。まずは株式市場に流れ込んだが、その次に金がいくのはどこか。不動産だ。

では、どこの国の不動産に向かうだろうか。香港やシンガポール、アメリカの都市部地価はむちゃくちゃ高い。家賃の高騰を見れば明らかだろう。

意外に思われるだろうが、私は日本の都市部なのではと推測している。2040年レベルで見ると、日本の不動産需要は落ち込むのが確実視されており、海外投資家が日本の土地を買うわけがないと思われるかもしれないが、現在の日本は、相対的に「安い」国なのだ。2030年だけで見ると、地価は上がっているかもしれない。

コロナ禍以前、日本には外国人観光客が約3000万人訪れたが、最大の目的は買い物である。日本で買い物すると安いからだ。たとえば、100円均一のダイソーは、中国では10元（150円）均一だ。アメリカではニューヨークは1・9ドル均一だから1ドル100円換算でも約2倍だ。

旅行者にしてみれば、同じものが自国では1・5倍から2倍するわけだから、日本で買い物すれば安いと感じるわけだ。ちなみにディズニーランドの入園料も、中国よりも、アメリカ、フランスよりもどこよりも安い。

つまり、コロナ禍がもたらした金があまった状況ならば、安いから日本の不動産が買われるということは十分に考えられる。そうなると、10年先の日本の不動産は高くなっている可能性も否定できない。

不測の未来を予測する力をつけよう

不確定要素が多いという話でいえば、コロナ禍ひとつとっても、こんなに社会と経済の環境が急変することなど誰も予測していなかった。

たとえば、新しいビジネスの価値観「シェアリングエコノミー」もこの数年で広く社会に受け入れられてきたが、今回で大打撃だろう。他者とのモノやコトを共有し、ライフスタイルの転換と合理性で支持を集めていたサービスだが、まさかの衛生意識の高まりという思いもよらぬ敵が立ち塞がったわけだ。

とはいえ、ロックダウンが解除されるにつれて、経済活動が再開し、こうしたシェアリングエコノミーの需要も回復するという反論もあるだろう。だが、コロナ前の姿には完全に戻らないはずだ。

戻らないというのは「量」ではない、中身だ。たとえば、民泊のエアビーアンドビーならば、利用者の予約先が変わってきているという。日本では大都市から80キロメートル圏内、時間にして車で1時間半程度までの予約が急増しているという。

特に人気があるのが一軒家やマンション一棟を貸し切るタイプで、2020年6月時点で、予約全体の約8割を占めていたという。利用者が密接・密集・密閉の「3密」を避けたいという気持ちが明らかにあらわれている。

もちろん、清潔感を重視して、民泊を使わなくなった、ホテルを絶対に使うという人も増えたかもしれない。どちらにしろ、コロナ禍前には想像しなかった利用形態になっている。

こうした変化は一時的で、しばらくすれば利用形態も戻ると考える人もいるはずだ。

そのとおりだ。これまで世界的危機は幾度とあったが、それによって人の行動が抜本的に変わったとはいえないことを多くの人は知っている。

ウイルスの危機から脱した後、人の行動が変わるか変わらないかは後の歴史が証明するだろうが、確実にいえることは、自然災害やウイルスなどの登場によって、我々の衣食住は一時的にはガラリと変わってしまうということだ。夏場に炎天下の中でマスクをして、建物に入る際に必死に誰もが手を消毒している光景を、1年前に誰が想像しただろうか。

未来予想は難しい。繰り返しになるが、テクノロジーの進展が、どのような暮らしをしているかの長期予想を昔よりも難しくしているし、自然災害やウイルスなどのリスクは把握しづらくなっている。論理的に積み上げて予測したところで想像が及ばない物事が起きるかもしれないのは、この10年を振り返っても納得するだろう。だからといって予測をしないという選択肢はない。**現在の知識を使って未来の方向を推測する力は、どんな不測の事態が起こっても対応できる力をつけるだろう。**

もちろん本章では、短期的には予想外の変化があっても大きく方向性はぶれないであろうテーマを選んだ。だから、いろんなものの詰め合わせのセットになっている。いずれもあなたが20年後に何をしていようが関わる分野である。私たちをとりまく衣・食・住と、ここから起こる産業はころころ変わるだろうが、それを現状の知識で考えていく力を持てば、未来に対応できる。

国が発展すると、肉を食べる

日本の人口が減少していくことは2章で指摘したが、世界規模では人口増加が続く。1950年に26億人だった世界の人口は2020年には78億人になった。そして、2040年には90億人に達するシナリオもある。

そこで問題となるのが食料だ。途上国が経済成長をすると、食生活はどう変わるか。それは、肉を食べるようになることだ。

世界の食肉の消費量は、2000〜2030年の間にそれまでのおよそ70%、2030〜2050年の間にさらに20%拡大すると予測されている。しかし、農地や畜産など食料生産に使える土地は限られている。

牛肉1キロの生産に必要な穀物は、8キロ程度だ。★(19) 氷に覆われていない地球の土地の4分の1は、すでに家畜用の牧草地だという。おまけに、現在子牛から育てて食肉

図15　人口が増え、食肉が足りなくなる

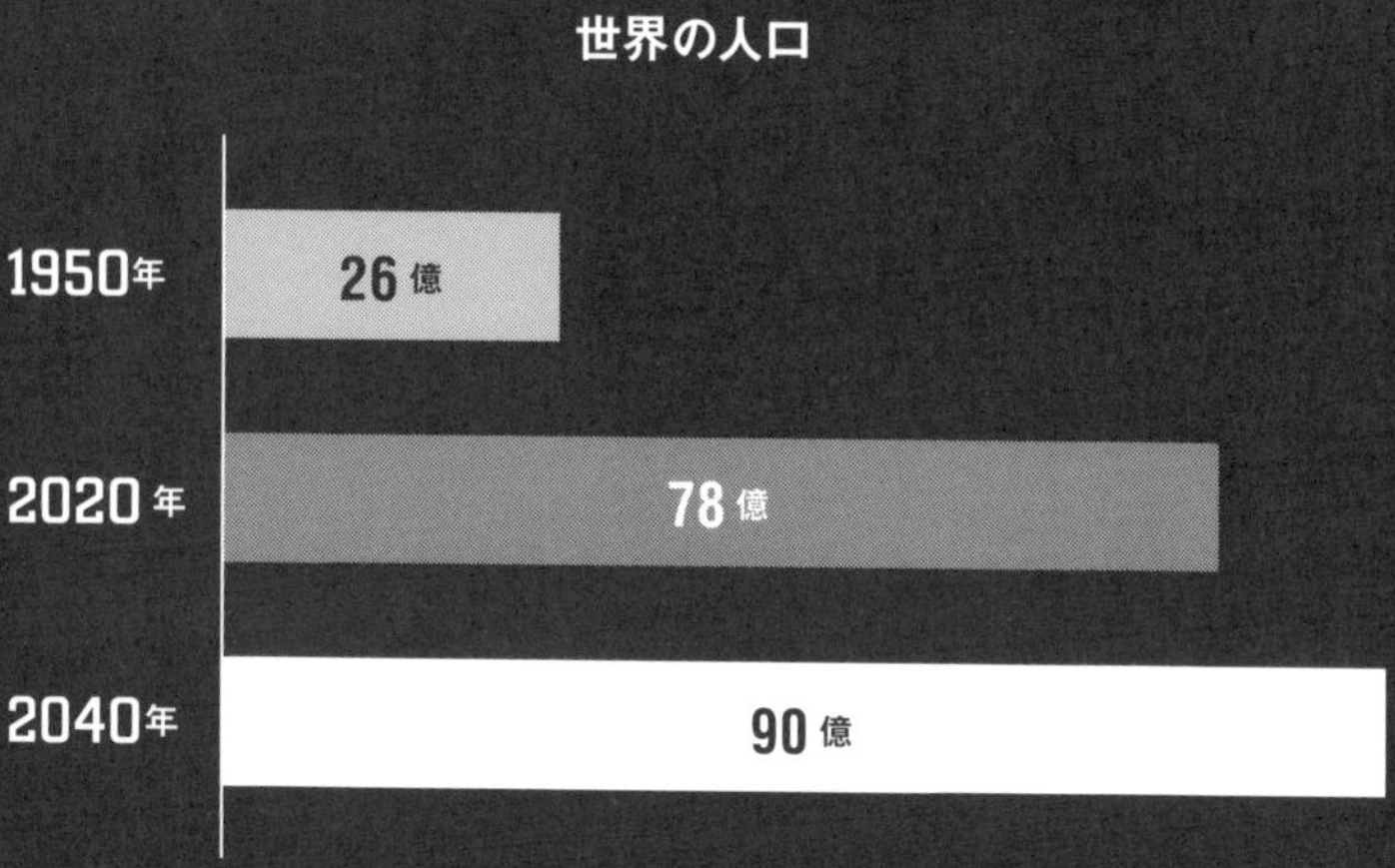

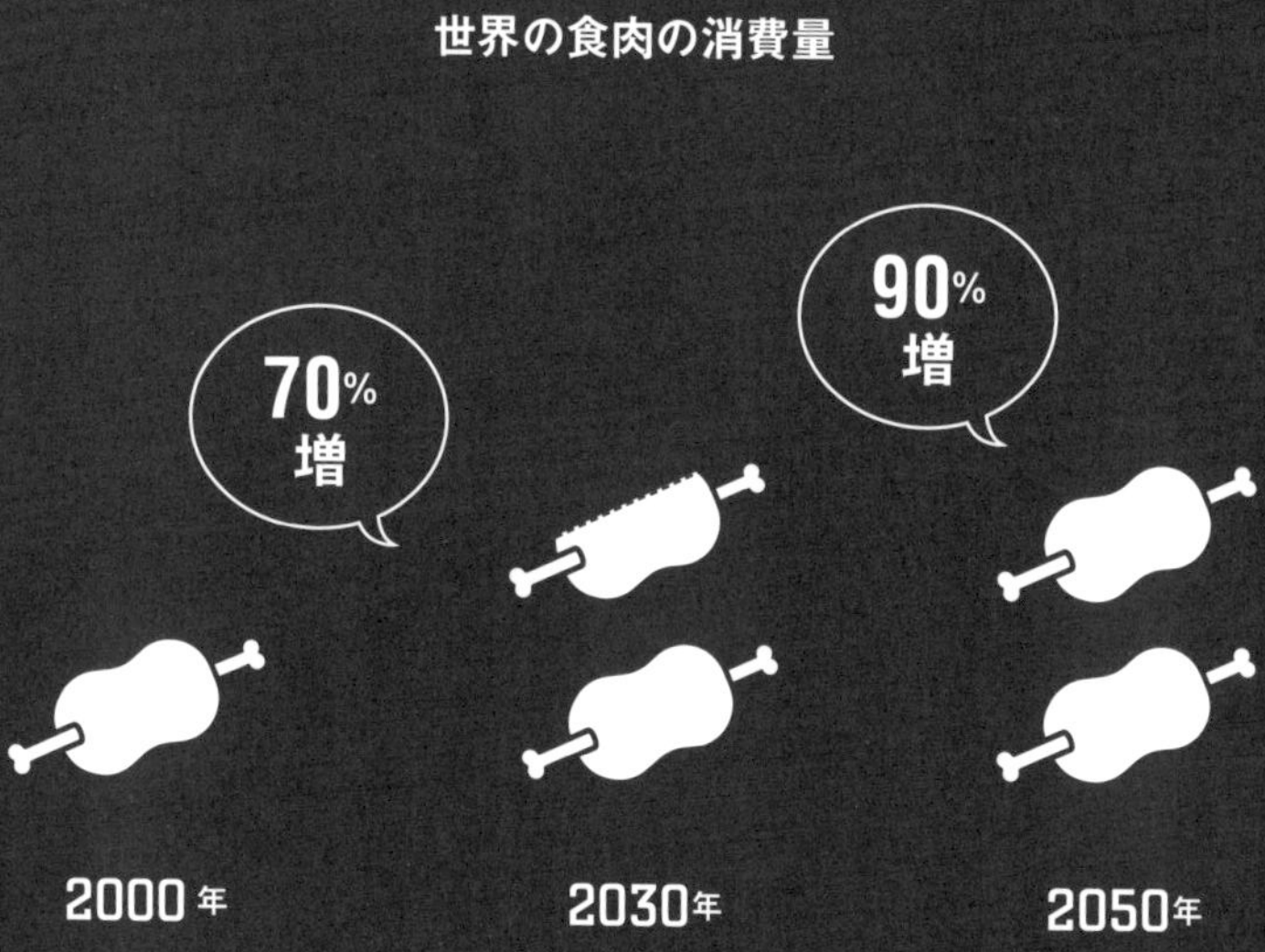

となるのには2、3年かかる。供給を増やすのにも限界がある。

そういった中、環境や動物愛護の観点からも、欧米諸国で開発が進むのが、「代替肉」だ。植物性の大豆などを原料にしたもので、ベジミート、大豆ミートなどの名前で日本でもスーパーなどで代替肉の「ハンバーグ」や「ソーセージ」などが売られている。

代替肉の世界的な市場規模は、2018年で46・3億米ドル（約5150億円）、2023年には64・3億米ドル（約7152億円）に達するという推定がある。★(20)

アメリカでは代替肉専業企業がすでに台頭し始めている。

ビヨンド・ミートは、代替肉の企業として初めて2019年5月に株式上場した。同社は2009年に設立された。マイクロソフト創業者のビル・ゲイツ氏や俳優のレオナルド・ディカプリオ氏など著名人が出資している。アメリカで代替肉への関心が高いことへの裏返しだろう。

また、2019年3月に米調査会社テクノミックが6000業者のメニューを調査したところ、米飲食店の15％が人工肉バーガーを提供していたという。

欧米人ほど肉を食べない日本人には想像しづらいが、彼らの間では肉を食べることは、地球環境や人の健康に悪影響を与えることに直結していると思っている。こうした罪悪感を抱かせないのが、植物でできた代替肉だ。低コレステロールなど健康にもいい。

みなさんは、代替肉を食べたことがあるだろうか？

もしかして、そんなにおいしくないと感じたかもしれない。しかし現在、肉の分子構造を分析し、より肉に近くしようという開発が進んでいる。植物性プロテインやでんぷん、その他の材料を操作することで、肉の食感を徹底的に再現しようとしている。食感のみならず、焼いたときの音や焼き色まで本物の肉に近づけている。

これら、食品をテクノロジーで開発する分野は「フードテック」と呼ばれる。現実を考えれば、食文化は科学技術で下支えしなければならない。

とはいえ、「結局は本物の肉でないと満足できない」という声はある。

そこでもうひとつ、「培養肉」というのがある。その名のとおり、肉の細胞を培養したものだ。動物の筋肉の幹細胞を取り出し増殖させる。細胞をほんの少し採取するだけでできるため、動物を大量に飼育する必要も、屠畜する必要もない。培養肉だと原理的には1年で数十トンという肉の量産が可能となる。

培養肉が広く知られるようになったのは、2013年にオランダの生理学教授であるマルク・ポスト氏が開いた培養肉バーガーの試食会だ。ちなみに、このハンバーグ1個に使われた培養肉140グラムをつくるのに33万ドルかかっていた。ハンバーガー1個が日本円にして3000万円以上だ。

培養肉はまだ実証段階で、店頭には並んでいない。**しかし、確実に未来に大きな利益を生む。**だから、世界中の企業が製造コストの大幅な削減を急いでいる。現時点では培養した牛肉のハンバーガーを、1000円台半ばで提供できる可能性も報じられており、2020年代前半には市場流通が始まるとみられている。

日本でも東京大学が、日清食品ホールディングス(HD)、科学技術振興機構(JST)と共同で、牛から採取した細胞を培養して、ステーキ肉をつくる研究を進めている。筋肉の細胞をコラーゲンを混ぜた液の中で培養し、長さ1センチ程度のサイコロステーキ状の筋組織をつくることに成功した。
もちろん、ステーキ肉は筋肉や脂肪、血管など多くの組織によりできている。今後は、脂肪も一緒に培養して大きくする技術などを開発し、本来の肉に近づける方針だ。

2040年、世界の食肉市場は1兆8000億ドルとなり、うち35%を培養肉が占めるとの見通しがある。★(21) 培養肉が定着するかは、何といってもまず、コスト低減だ。たくさんつくれることがカギになる。そのためには、現状からもう一段の技術開発が必要だ。

しかしながら、一番のハードルになるのが、消費者が培養肉という人工物に対して「不自然さ」を抱くことだろう。商品化しても不安を抱かれれば購入してもらえない。「培養肉に関する大規模意識調査」の結果によると、「培養肉を試しに食べてみたい」との回答は27%にとどまっている。★(22) ただ、培養肉が環境負荷の軽減や食料危機の解決に貢献する可能性があると情報を提供すると、その割合は50%まで増えた。

現時点では、多くの人にとって地球規模の食料問題や温暖化問題は、遠い世界の出来事に思えるかもしれない。しかし、全世界の人口増は確実に訪れる未来だ。世界を取り巻く状況を考えれば、テクノロジーによる新しい取り組みが普及するはずだ。

★〈19〉国連食糧農業機関（FAO）
★〈20〉米調査会社のマーケッツ・アンド・マーケッツ
★〈21〉米コンサルティング会社A・T・カーニー
★〈22〉日清食品HD、2019年11月

遺伝子編集した魚を食べないともうもたない

肉と並んで重要な食品といえば魚だ。マグロやサケ、エビなどで培養肉の開発が進んでいる。だが現時点では、牛肉に比べると完成度が劣る。シンガポールでショーク・ミーツ社が開いたエビの培養肉の試食会では、ほとんどの人が味の完成度の低さに食べることができなかったとの報告もある。もともと、肉は飼料に莫大な環境負荷がかかるが、魚類はそこまでもない。

ただ培養魚は、魚の乱獲を防ぐことが期待されている。水産物は全体の3割が過剰に漁獲されていて、水産業の持続の可能性が危うくなっている。魚肉の培養肉は、5～10年後への実用化が見込まれている。

魚の分野で期待が高まるのは1章の医療技術でも言及した、ゲノム編集、つまり遺伝子組み換え技術だ。

ゲノム編集は特定の遺伝子を組み換え、その機能を変える技術だ。医療分野のみならず、穀物や野菜、魚などの食料を改良する技術としても世界的に関心が高まっている。しかも、ちょっとした機能をピンポイントで素早く変えられる。たとえば、魚の遺伝子のある部分をピンポイントで変えることで、一匹あたりの肉の量や栄養を高められる。気候変動にも魚の生育が左右されなくなる。

たとえば、京都大学では筋肉の量を抑える機能を壊し、肉の量を多くしたマダイや短期間で肉厚に成長するトラフグなどの開発が進められている。

さて、あなたは「遺伝子組み換えでない」という表示を見て、食品を買ったことがあるだろうか？

世界中の期待を集めるゲノム編集農水産物だが、広く普及するには、培養肉と同じ課題がある。もちろん、消費者の理解だ。規制については世界各国で議論されているが「遺伝子組み換え食品」への抵抗はもともと強い。

遺伝子組み換えについてのアンケートで、「農作物や家畜へのゲノム編集に関する一般市民の意識調査」によると、「ゲノム編集された農作物を食べたくない」と答えた人は4割だった。[★(23)] 魚や家畜ならばなおさらだろう。

すでに2019年から、ゲノム編集で開発した食品の販売や、流通に関する届け出の制度が厚生労働省で始まっているが、反応は鈍い。この届け出は、消費者の不安を取り除くのが狙いだが、届け出も表示も任意で、義務ではない。

ただ、我々は少し考える必要があるだろう。遺伝子組み換え食品について、本当に正しい理解は、「短期間で起こした変異だから、いいかもしれないし、悪いかもしれないし、わからない」である。遺伝子の変異は、自然界でも長い時間をかけて起こっているものだ。そして、あらゆる食品の品種改良は、この変異を人為的に長期間で行っているものだ。ゲノム編集は、同じことを短期間で起こしているに過ぎない、という発想もできる。

人工肉だけでなく、昆虫食もこれから普及するだろう。

昆虫食は、欧米を中心に食品の販売が始まっているが、コオロギやミルワーム（甲虫の幼虫）を使うものが多く、見た目や独特の風味のため敬遠する人も少なくない。確かに、気持ち悪いと思ってしまうのはしかたないだろう。そうした意見を踏まえて、味のクセが少なく、うまみがあるカイコのサナギをフリーズドライ製法で粉末にし、ドレッシングやスープなどにする開発も進んでいる。

まとめると、2040年には世界の肉の60%が、動物本来の肉ではなく、培養肉や植物からつくられた人工肉に代わる。動物由来でも、遺伝子操作による可能性も大きくなる。不自然に見えるかもしれないが、おそらくそれは時間が解決するだろう。2020年時点の畜産や魚の養殖も、100年前の人にしてみれば不自然かもしれないことを忘れてはいけない。

★〈23〉 日本ゲノム編集学会で東大が発表した「農作物や家畜へのゲノム編集に関する一般市民の意識調査」。2019年6月

図16 人工肉は増える

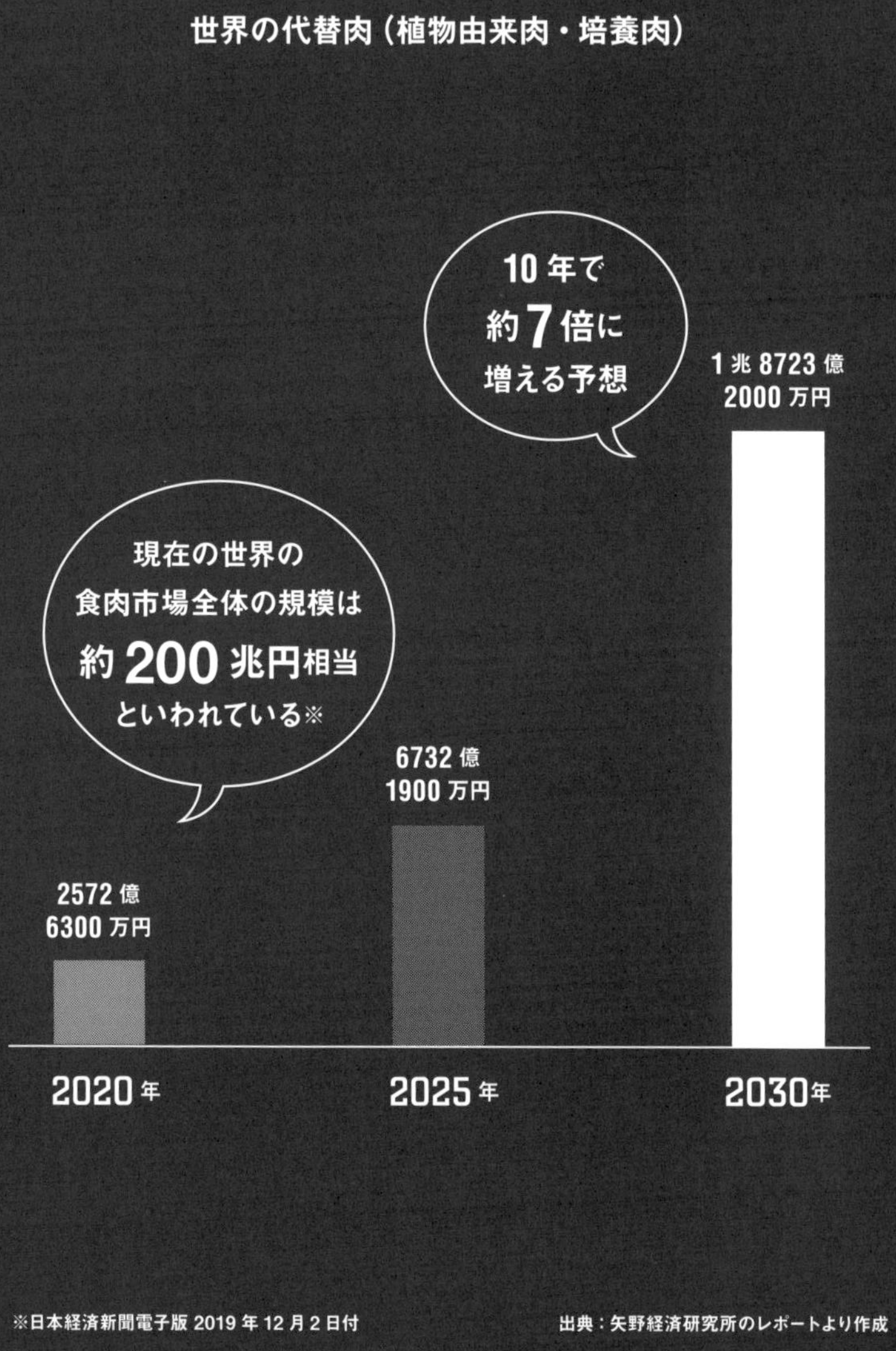
世界の代替肉（植物由来肉・培養肉）
10年で
約7倍に
増える予想
1兆8723億
2000万円
現在の世界の
食肉市場全体の規模は
約200兆円相当
といわれている※
6732億
1900万円
2572億
6300万円
2020年
2025年
2030年
※日本経済新聞電子版 2019年12月2日付
出典：矢野経済研究所のレポートより作成

マンションの価値は下がる

リゾート地の別荘が「1円でも売れない」というニュースが、少し前に世間を騒がしたのを覚えている人も多いだろう。バブル崩壊後、管理費や固定資産税などの負担が重くのしかかり、不動産に買い手がつかない。所有者が改修費など一部を負担し、「実質マイナス価格」でも売れない。今や、軽井沢や熱海の駅近物件以外はそうした厳しい状況にある。

リゾート地だけではなく、地方都市でも景気が良かった頃に大量に建てられた住宅は、売りたくても売れない。その結果、今、日本全体で空き家の急増が懸念されている。

先述したように、2030年に、もしかしたら都市部の地価だけは上がっているかもしれないが、全国的に見ると2033年には全世帯の約30%、約2100万戸超が空き家になるという。★(24) 2040年になれば、さらに空き家が増える可能性が高い。

最も懸念されるのは、全国の都市部に多い団地やマンションだ。

安全面はもちろん、マンションの資産価値を上げるためには、大規模な修繕工事は欠かせない。ここ数十年に建てられたマンションは、適切なメンテナンスがされれば100年近く持つ物件も少なくない。だが、そのためには、マンションの持ち主が建物を修繕するために、修繕積立金を用意しなければならない。しかし、所有者たちが準備できていないケースが多い。

2018年時点で、全国のマンションの75%で、修繕積立金が国の目安とする水準を下回っているという。★(25) **つまり、まともに修繕できるマンションは4件に1件しかないのが現実だ。**

なぜこうしたことが起きているかというと、売り手のデベロッパーが売ることを優先するため、修繕積立金を低く設定するからだ。買う側も、毎月のローンや管理費があるから、遠い将来のことなど考えずに、目先で削れそうなところを削りたがる。

日本の団地やマンションが多く建ち始めたのは1970年代だ。人口が右肩上がりに増えて住宅不足が深刻になった時代である。そこで、政府が法律をつくって、計画的に住宅の供給を始めた。地価は高くなり、普通の勤め人は郊外に家を買うしかなくなった。だから郊外にマンションが多く建った。
こうした背景もあり、日本の団地やマンションには、同じような年齢の人が入居しているケースが多い。かつては子持ち世帯で賑わっていた団地も、高齢化が進んですでに廃墟寸前のようになっているケースも珍しくない。

マンションの建て替えには住民の5分の4の同意が必要だ。だから、建て替えが検討されたところで実現は難しい。高齢化が進めば、多くの住民は「ずっと住んでいくからいいや」と住居の改修に費やす意欲もなくなる。建て替えどころか、修繕や改修もおぼつかなくなれば、新しい入居者はこない。そのまま住居者がいなくなっても買い手がつかず空き家になる。買い手が見つからなければ、誰でもいいから貸すといったケースも増えていく。
その結果、マンションや団地全体が「スラム化」していき、管理費や修繕積立金も滞納が目立つようになる。こんな負のサイクルが今、日本中で起きようとしている。

東京も、都心部以外は住宅の窓ガラスが割れていても誰もおかしいとは思わない世界がすぐそこまで来ているといっても過言ではない。老朽マンションが増えれば、周辺の住宅価格は押し下げられる。2040年には首都圏の住宅価格が半分になるのではとの指摘もある。

そもそも、土地はごくわずかの値上がりする土地、安定している土地、値下がりする土地、売れなくなる土地に大別される。おそらく、一般人が個人で売買できるのは、これから値下がりする土地か売れなくなる土地しかないかもしれない。

マンションに関して、お先真っ暗な未来しか描けないかもしれないが、希望もある。人口増が望めない以上、新築の物件は減り、戸建ての空き家はどこかで頭打ちになるはずだ。

資産価値が見込める一部を除き、住宅の価値は下落する。家を買うにしても借りるにしてもコストは下がる。おそらく、自分の家が欲しいと考える人は、サラリーマン層にはいなくなっていくだろう。家を買う必要がないと考える人が増えれば、家の価格はさらに下がる。つまり、マンションも戸建ても買わない方がいい。

昭和・平成の時代にサラリーマンを縛った「35年住宅ローン」は文字通り過去の遺物となり、買わずに借りるにしても家賃が収入に占める割合は劇的に下がる。そうなればローンを苦にした自殺者も減る。

すでに、2020年時点で、定額制で日本各地の家に住み放題のサービスがいくつも生まれている。2040年は住宅が飽和状態になる以上、こうしたサービスが増え、家はよりどりみどりになるはずだ。平日と週末、季節ごとに気軽に家を変えて過ごすというライフスタイルも可能になるだろう。住宅は発想を変えれば、意外に楽しめる一例ではないだろうか。

★〔24〕 野村総合研究所
★〔25〕 日本経済新聞調べ

オンライン教育はあたりまえになる

日本の経済はずっと停滞しているが、テクノロジーのおかげで暮らしは大きく変わり、生活は便利になった。ただ、教育については、変化がほとんどない。その変化のなさは愕然とするほどだ。インターネットが教育を変えるとうたわれながらも、教育現場は昭和の光景と大して変化がない。

学校の授業でパソコンなどを活用する割合は、日本はOECD加盟36カ国で最下位である。★(26) 学校外でパソコンなどを使って宿題を「毎日」「ほぼ毎日」する生徒の割合も日本は計3%。これは世界平均の22%を下回る。

その原因は、学校でのパソコンの普及率の低さにある。

最も多いのが佐賀県で、平均して児童生徒1・8人に1台。しかし、愛知県は7・5人に1台。パソコン普及には地域格差が大きく、学校で使うパソコンが児童・生徒に十分に行き渡っていない。

政府は2019年に経済対策の目玉で、小中学校で「パソコンは1人1台」とすることを決めた。ようやくかという印象だ。

新型コロナウイルスの影響で、これからは間違いなくオンライン授業が進むだろう。小中学校は設備の問題もあり時間がかかるかもしれないが、大学では講義やゼミなどでは、オンラインでのビデオ会議を使うのがすでに一般的になっている。もちろん不慣れな教員や学生もいて、当初こそ戸惑いはあっただろうが、利点も多い。出欠確認や資料の配付はいらないし、授業中にアンケートもとれる。学生は講義中にわからないことや疑問点があれば、遠慮せずに検索して調べることもできる。不明点があれば繰り返し視聴もできる。

小中高よりも、最も変わる可能性がありながら変わらなかったのが大学だったが、どんなテクノロジーよりもウイルスが一変させたのである。

新入生からは「描いていたキャンパスライフと違う」などの意見ももちろん聞かれる。主な理由は、授業というよりは、友人とのコミュニケーションやサークル活動など授業以外への不満だ。課題が見えれば、解決法はある。

★〈26〉 経済協力開発機構（OECD）

アメリカの大学は富裕層以外は行けない

ちなみに、アメリカではオンライン授業の長期化に対して不満が広がり、学費の一部返還を求めて全米の70以上の大学で訴訟が起きている。

これはオンライン授業が受け入れられていないわけでも、アメリカの学生が日本人よりも熱心なわけでもない。単純に授業料が高く、学費に見合う環境ではないからだ。

アメリカの大学は国際ランキングの上位を占める。最近は日本からも留学する人が増えていることからもわかるように、教育は日本以上の一大産業だ。

「名門大学に行かなければ将来はない」「大学院にいかないと経済的に成功しない」と喧伝し、不況の今、その傾向はますます強まっている。その結果、アメリカの大学、大学院の授業料は信じられないほど高騰した。それを負担できる親は少なく、多くの学生は学費のために学生ローンを借りている。

アメリカの学生ローンの残高（借金の残りの合計額）は膨張し続けている。201

9年時点の残高は、なんと前年から34％増加している。金額は1兆5100億ドルで、日本円にすると160兆円を超える規模になる。恐ろしいことに、この残高は10年間で倍増している。**教育の大切さを煽ることで大学進学率が高まり、皆、値上げをしても借金をしてでも入学するからだ。**

2019年度の私立大学の平均授業料は、年約3万6900ドルで10年前に比べ2割上昇したという。1990年代に比べると2〜3倍に急騰[★27]している。これは異常だろう。日本円にすると400万円以上になる。日本の私大の平均授業料は年90万円程度だ。4倍以上だ。

加えて、アメリカの場合、国土も広く、寮に入るのが一般的だから、寮代などを加えると年約5万ドル（約550万円）に達する。これがハーバードロースクールになると、年約10万ドル（約1000万円）に上る。

アメリカでは約7割の学生が大学の学費のためにローンを組み、平均約4万ドルの借金を背負って社会に出るという。もちろん、うまく一流大学を卒業して、高給の職に就けたらローン返済は可能だが、就けなかった場合は、借金地獄が待っている。

しかも、規制緩和で学資ローンは民営化され、年利を高金利に移行する変動制にしたり、悪質な取り立ても増えていると聞く。返済できない時期があれば未払い利息が膨らみ、あっという間に借金は倍になる。**アメリカでの大学進学は、富裕層以外ではすでにギャンブルだ。**

アメリカで学生ローンは社会問題で、返済が重荷となって結婚や出産、住宅購入に遅れが出ている。40代になり、返済に行き詰まるケースも増えている。延滞は40代で1割に発生している。

もちろん、こうした高等教育のあり方を問題視する声はある。しかし、アメリカの教育社会が大きく変わることはないだろう。アメリカは2040年も人口が増え続けるからだ。

人口が増えても、AIなどの活用で仕事のポストは増えない。人口が増える限り、競争は続く。若年層が増え続けている限り、アメリカの教育産業は「一流大学に入らないと高給取りになれない」という宣伝文句をはき続けるはずだ。

★〈27〉 NPO米カレッジボード

日本では学歴の意味がなくなる

では、日本と比べてみよう。アメリカと日本ではまったく置かれている状況が異なる。日本では、これから2040年に向けて、学歴の価値は下がっていく。

そもそも世界的に見ると、日本はもはや学歴社会ではない。受験制度も私が学生の頃と大きな枠組みは変わっていないし、国際比較すると日本の教育水準は大幅に低下していることがわかる。

OECD加盟36か国の大学進学率の平均は58%だ。対して、日本は49%にとどまり、下から11番目だ。別に大学に進学しようがしまいが個人の勝手だが、**バブル崩壊の処理に追われている間に、世界から日本が取り残された現実は覚えておいた方がいいだろう。**

大学生が勉強しないのも同じだ。大学生の平均学習時間は小学生よりも短いという

図17　日本の大学進学率は平均より下

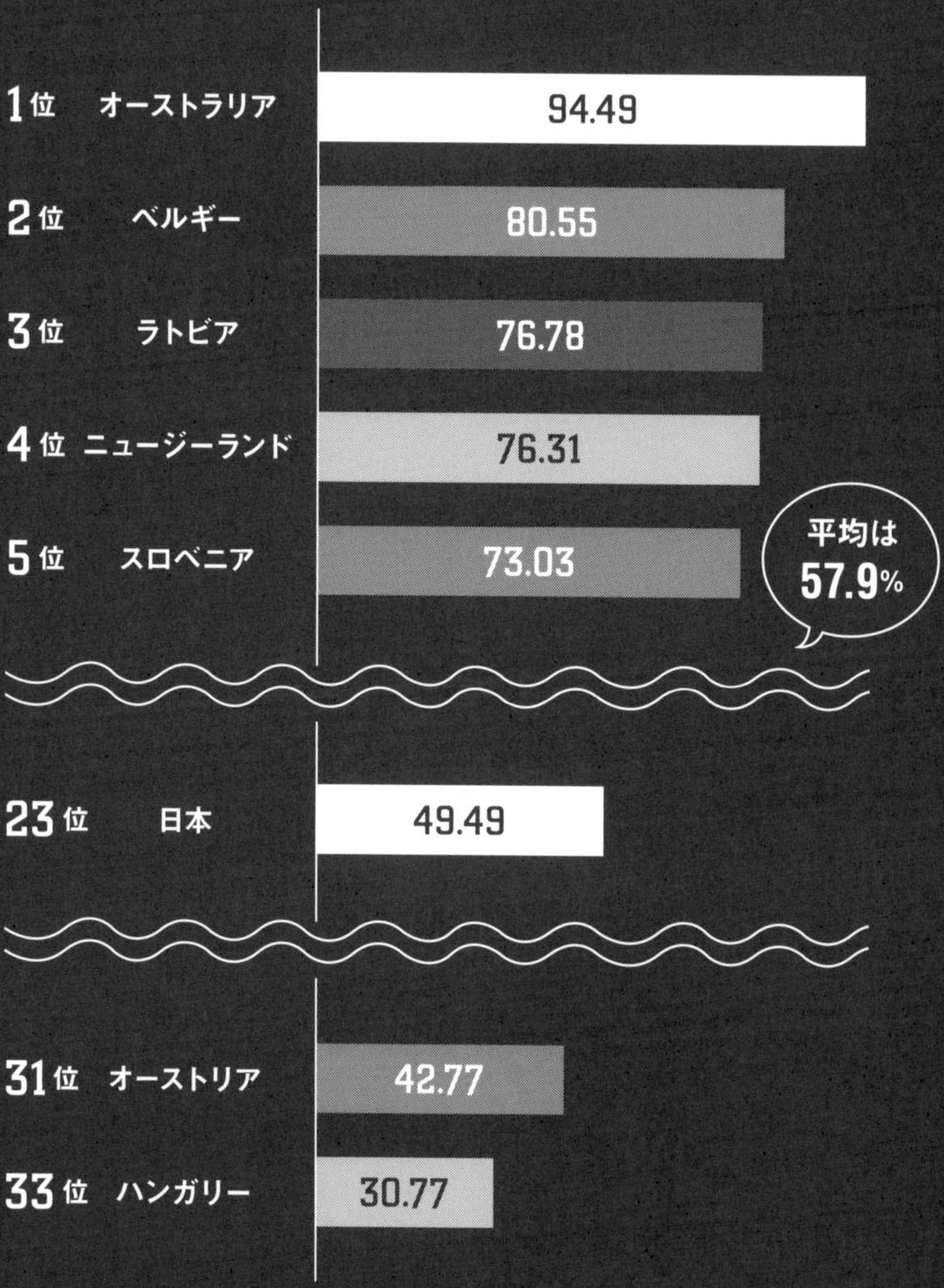

（OECD加盟国36カ国の順位）
※カナダ、アメリカは数値が提出されていない　　出典：国立大学協会「2019年国立大学法人基礎資料集」

統計調査もある。

なぜ勉強しないかというと理由は簡単で、勉強しようがしまいが、大半が入社する企業での処遇がほとんど変わらないからだ。アメリカでは大卒と博士課程修了者は初任給が約5割違うが、日本の場合、よくて2割程度だ。学生にしてみれば金も時間もかけようと思わないだろう。むしろ、理系ですら博士まで進学すると給与があがるどころか就職口も減るのが現実なので、誰も進学しようとしない。

結局、多くの人が大学に行こうとし、熾烈な受験戦争まで起きたのは、大学に行くことが就職するためには必要だったからだ。日本は戦後長い間、右あがりの成長を続けた。「いい会社」に入ることができれば安泰だったのだ。

もちろん、大学に行かなくても就職口はあったが、安定して高い給料がもらえる「いい会社」は競争率が高かった。

そして、なぜそこで競争が起きたかというと、大企業の席が少なかったからだ。つまり、人口が増え続けたから、「いい会社」の採用枠に対して応募する学生が圧倒的に多かった。

大勢の中から少数を採用するため、企業は採用基準を設ける必要があった。それが学歴だった。

もちろん、必ずしも「高学歴＝仕事ができる」わけではないのはみなさんもご存じだろうが、手間やコストをかけずに採用するには、学歴が最もわかりやすい指標となった。

採用する側としては高学歴の学生を採用しておけば、「東大ならだめでもしかたがないね」と人事担当者も社内にいいわけができた。ＴＯＥＩＣの点数での足切りなどを採用基準に設けた企業もあったが、これも採用の手間とコストを軽くしようという学歴と同じ理屈だ。

だが、少子化が進んだ今、若い人の人口が減り、売り手市場になった。学歴が持つパワーは、就職戦線でかつてほどはなくなってきている。これからはなおさらだろう。

２０４０年には、18歳の人口は今と比べて8割にまで縮む。そもそも、企業側の、学歴に基づいて大量採用して、そこから優秀なヤツが育てばいいという旧来型の採用モデルは現在でも破綻しつつある。学歴があればどうにかなる社会は、完全に過去のものになる。

就職に学歴が関係なくなるのだから、これからは、親も子どもに、それぞれが好きなことを見つけて、好きな仕事や自分の人生を創造する後押しをしてあげるべきだ。

学校や塾も行きたくなければ行かなければよい。代替案としてオンライン教育が整備されるのは間違いないのだから。さまざまな理由での不登校児も増えるだろう。

大学は生き残るために専門性を高める

ちなみに、国は教育についてどういうことを考えているか、最後に触れておこう。

2040年の高等教育（大学教育）の目標をまとめた文書がある。

そこには、求められる人材として「思考力、判断力、俯瞰《ふかん》力、表現力の基盤の上に、幅広い教養を身につけ、高い公共性・倫理性を保持しつつ、時代の変化に合わせて積極的に社会を支え、論理的思考力を持って社会を改善していく資質」とある。

国の文書にありがちな抽象的でわかりにくい文だが、わかりやすくいうと、「分野を超えて先端の学問を学び、あらゆることに対応できる力を備えた人材」が必要となるということになる。そして、そうした世界をけん引する人材のほかに、「高度な教養と専門性がある人材」「高い実務能力がある人材」の3類型を育てていこうと提案している。

国は大学側に、人材を育てる指針として、どの機能を強化するかを考えるべきだと投げかけている。つまり、専門化しろといっているのだ。

大学の機能分化（専門化）の案は、これまで大学側の反発が強く、長年タブーとされてきた。しかし社会が複雑になる中、踏み込まざるをえないだろう。企業からも、専門性の高い人材や文理融合の人材を望む声が多く、文科省も重い腰を上げるはずだ。

国家による将来構想という割には、こぢんまりしていて未来を感じさせる斬新さもない内容に聞こえる。目標とすべき資質も曖昧ならば、手段も明示されていない。

論点としては、文系と理系の区別をなくしたり、学部といった縦割り組織をやめたり、あるいはほかの大学との連携や統合なども挙げられているが、それらはこれまでの延長線上にも見える。だから、従来と同じでゆっくりとしか変わらない可能性もある。

ただ、これからは企業も大学も必死だ。**企業は以前とは比べられないほど競争のスピードが速くなっており、優秀な実務能力がある人材が欲しい。**

大学側も、一部の超有名大学以外は変わらなければ生きていけないところまで追い込まれている。すでに私大の4割が定員割れしているのだ。生き残るには、専門性や実務力が高い人材の育成にシフトするのが現実的な解だろう。特色がなければ学生はますます集まらなくなる。

シェアリングは巨大産業になる

モノを買わない人が増えている。これから、この傾向はますます強まる。

「安かろう悪かろう」は過去の時代となり、安くて品質が良いモノにあふれ、金をかけずに生活を楽しめるようになった。また、金を使うことやモノを持つことがステイタスではなくなったという価値観の変化もある。

こうした消費行動の変化にはいくつか理由がある。

まず、「買わなくなった」のではなく、「買えなくなった」ことが理由として考えられる。バブル崩壊後の「失われた30年」で非正規雇用者が増え、正規に雇用された30～40代でも、収入が伸び悩んでいる。そして前の章で見たように、老後の年金が減るのも明らかで、将来への不安から節約したいという志向も強まっている。

もうひとつが技術革新だ。「わざわざ買う必要がなくなった」ものはとても多い。

インターネットへの常時接続があたりまえになり、無料で楽しめる情報や動画、音楽、ゲームがあふれている。スマートフォンひとつあれば、金をかけなくても楽しめる環境ができあがっている。

もちろん、無料のソフトでは楽しめないという人もいるだろうが、金を払うにしても、とても安くなっている。月額定額で使い放題のサブスクリプションサービスには、映画や本、音楽はもちろん、家電、自動車、住宅までもがある。その時々のライフスタイルに合ったモノを都度選べ、ムダな消費を減らせる。

そして、ネットが個人と個人を結びつけたことで生まれた、シェアリングサービスの登場は大きい。

シェアリングと聞くとまず思い浮かぶのは、メルカリのような不要な服などをフリーマーケット形式で売買するサービスだろう。あとは、洋服のレンタル、ウーバーのような配車サービスもイメージするかもしれない。幅広いサービスが含まれる。

そもそもシェアリングとは、モノの共有や売買だけではない。モノにとどまらず、スペースや移動手段、スキルなどもそうだ。広いジャンルを、赤の他人同士が売買したり、貸したり借りたりできる。

民泊や家事育児代行などもわかりやすい例だ。コロナ禍では、共働き層向けに、家事育児代行などのシェアの利用が広がっているとの報道を見た人もいるだろう。

シェアリングエコノミーの市場規模は、2018年度の1兆8874億円から2030年度に11兆1275億円にまで広がる可能性もある。★〔28〕これは製薬業や電子部品製造と同程度の一大市場になる。

もちろんこれは、サービスの認知が進んだり、法整備や自治体の支援が整ったりなど、業界にとっての追い風が吹いたらという条件つきではある。なにもない現状のペースでの試算は、5兆7589億円になる。これでもアパレル市場における婦人服・用品と同程度だ。存在感は無視できない。

★〔28〕 シェアリングエコノミー協会の試算

図 18 ｜ シェアリングエコノミーの幅は広い

図19　シェアリングエコノミーの市場は大幅に広がる可能性がある

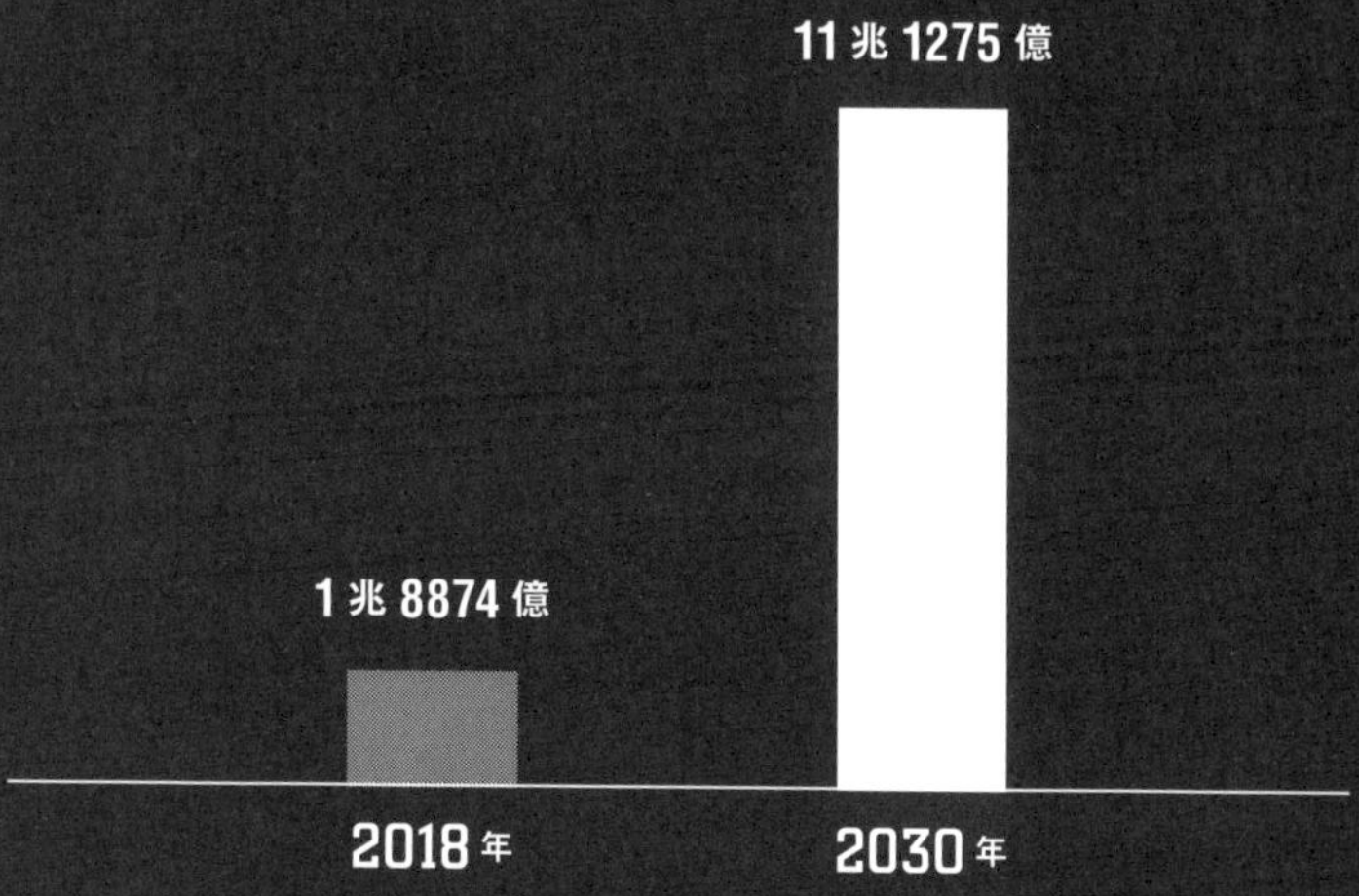

貧しくなる日本に シェアリングは不可欠

章の冒頭で触れたが、シェアリング市場には今、新型コロナウイルスにより逆風が吹いている。ただ、結論からいうと、シェアリングはなくなるどころか、増えるだろう。

コロナ禍を例にとって、その理由を考えてみよう。衛生意識が高まり、モノのシェアリングは控える動きが出ている。移動シェアのウーバーや民泊のエアビーアンドビーは、すでに経営が危機に瀕し、リストラに走った。

北京では鉄道利用者が半減し、マイカー利用者が増えた。世界中で公共交通機関からマイカーへのシフトも進んだ。明らかに、シェアリングに逆行している。

では、2040年、人々は、モノやスペースのシェアリングを拒否し、中古品より新品を好み続けるのだろうか。日本に限っては、答えはNOだろう。

コロナ禍真っ只中の2020年4月、2000人を対象に実施したアンケートがある。そこでは、シェアリングを選ぶ最大の動機は経済面であることが明らかになっている。今後に望むサービスも「消毒・清掃」（24・6％）よりも「提供価格の低下」（37・1％）が大きく上回っている。★(29)

衛生面にリスクがあろうが、安くすませたい、買いたくても買えないからシェアリングを利用したいという欲求が依然として強いのだ。

経済的に豊かになれば、人々はシェアリングから距離を置くかもしれない。しかし、残念なことに日本でその可能性は低い。日本は、経済大国から2番手グループに落ちるのはほぼ既定路線だ。

コロナ禍で接触を避けるために控えられた動きも、一時的な可能性が高い。たとえば、民泊のエアビーアンドビーは、2020年7月に世界で100万泊分を超える予約が入ったと発表した。100万泊に到達したのは、2020年の3月3日以来だ。ロックダウン（都市封鎖）などの措置が世界的に敷かれた後はじめてである。

今後も、こうした新種のウイルスが蔓延する可能性はあり、そのたびに一時的に利用は落ち込むだろう。だが、経済の成長が頭打ちになる先進国では、ゆるやかに身の回りでシェアリングが広がるだろう。

★(29) 野村総合研究所

アフリカの「ストーリー」がファッションの目玉に

早ければ、アフリカは2040年に「世界の工場」になっている。**現在、中国でつくられている衣服は人件費の高騰で東南アジア、アフリカへと生産地が変わっていくはずだ。**

アフリカは単なる生産拠点だけでなく、ファッションの発信地としても注目される可能性は高い。すでにその萌芽はある。今、ファッション業界にはアフリカの波が押し寄せている。

象徴的な出来事は2018年に起きた。高級ブランドのルイ・ヴィトンのディレクターに、ガーナがルーツのヴァージル・アブローが就任。アフリカ系としては初めての登用だ。

これは偶発的な出来事ではない。ファッションの展示会の周辺には、アフリカ系のインフルエンサーやバイヤーも目立つようになっている。**ラグジュアリーブランドに**

とっても次の上級顧客はアフリカ系であり、そのための布石を打ち始めているのである。

２０１９年には若手デザイナーの世界的登竜門とされるＬＶＭＨプライズのグランプリに、南アフリカのテベ・マググが選ばれた。彼の、黄土色や赤などアフリカを思わせる色を大胆に使う手法は注目を集めた。

グランプリは逃したが、ファイナリストに残ったナイジェリアのケネス・イゼも世界が注目する若手デザイナーだ。彼は、現地の職人の手織りの生地を使っている。

アフリカ系デザイナーの特徴は、素材調達から縫製、仕上げまでをすべて現地で手がけていることだ。これも、これからのファッションを体現している。そこに、欧米の消費されるファッションとは異なる価値観を見いだす者もいる。

というのも、現在から未来に向けて経済界、産業界のテーマは「持続可能性」だろう。ファッションの分野も同様だ。生産や販売、そして消費までの流れのすべてが、環境と社会に最大限配慮するというファッションはすでに現れている。その機運はこれからどんどん大きくなるだろう。アフリカというエリア内ですべて完結でき、しかも材料にムダが出ないように、時には端布も使う。アフリカのファッションは持続可能性という「ストーリー」を持ち合わせている点も、業界内外の関心が高い一因だ。

アフリカの中でも、好まれるファッションに変化が出ているのも興味深い。以前は、シャネルやヴェルサーチなど、欧州のハイブランドがアフリカの富裕層には人気だった。彼らの中には2週に一度は飛行機でパリやミラノ、ドバイで爆買いする者もいたが、経済成長に伴い地元で買い物する者が出始めた。これが、地元のファッションブランドの底上げにつながっているという。こうした流れはこれからの経済成長でさらに加速するだろう。

そして、近年、アフリカ最大の経済国であるナイジェリアで、若者の中にはあえて伝統衣装を着る者が増えている。それらは「トラッド」と呼ばれ、会社や結婚パーティ、ナイトクラブにまで公私を問わず着用されている。

アイドル歌手などが「トラッド」をまとうことで裾野が広がり、ナイジェリアの国境を越えて、アフリカの広いエリアでブームが広がっている。これもまた持続可能性の流れに沿ったものともいえるだろう。

アフリカがファッションの世界で、存在感を増すのは間違いない。

chapter

#04

2040: Our World

天災は必ず起こる

このまま温暖化がすすむと、飢餓に満ちた世界が必ずくる

世界は今、環境破壊によるリスクがかつてないほど大きなものになっている。遠い未来のことだと思っている人もいるかもしれない。しかし、2040年を待つまでもなく、今すでに起こっている。これも、きちんと把握しておくべき未来だ。この章では、環境破壊や自然災害など、地球の環境について押さえておきたい。その中でも、最も避けられそうもないのが温暖化だ。

このまま何の対策も講じなければ、今から2100年までに地球の平均気温は4度上昇する。★(30) これがどのくらい異常なことかというと、1880年から2012年までの世界の平均気温の上昇は、1度にも満たない。

4度上がると何が起こるか。気温が上昇すれば、海水の温度も当然上昇する。そうすると、ほぼすべての珊瑚礁が白化、絶滅する。**珊瑚礁には海洋生物種の3割以上が生息するといわれており、結果的に、数億人の人々の食料事情が深刻なものになる。**

気温が上がると、生物は生息に適した環境を求めて移動するが、間に合わなかったり、移動が不可能だったりした場合、もちろん絶滅する。そして、生態系に空白地帯が生まれると小型生物が大型化する。ネズミがウサギくらいのサイズになってもおかしくない。

海水の温度が上がれば、北極の海氷や陸地にある氷河を溶かし、海面が上昇する。2030年頃には、海面が少なくとも15センチは上昇するとの試算もある。

これによって何が起こるか。たとえば、地中海の海面が20〜50センチ上昇してしまうと、最悪のケースではエジプトのアレクサンドリアの堤防が決壊し、人類の遺産は崩壊する。東南アジアでは2030年頃までに75センチ上昇する可能性があり、そのままいくと2100年にはタイのバンコクの3分の2は水没する。★(31)

2100年と聞くと、ものすごい未来に見えるかもしれないが、医学の進歩で人は100年は生きるだろうから、現在の20歳以下が生きている世界だ。

ちなみに最悪の場合、2100年には日本は熱帯化している。夏の東京の昼間の気温は40度をこえ、夜も30度をほとんど下回らない。米はとれなくなり、関東や近畿圏でバナナやパイナップルが栽培に適しているようになるだろう。

温暖化は食料不足も呼び起こす。ただでさえ世界的な人口増加があるのに、水の枯渇があり、作物の収穫量は減る。アフリカでは、トウモロコシやキビなどがとれる耕作地は半減する可能性もある。

こうなると、農作物の価格はもちろん上昇する。自給自足ができている国々でも、温暖化が進めば自給自足が難しくなり、飢餓が蔓延する。飢餓に苦しむ国々は食料を確保するため、隣国に攻め込むこともあるだろう。

突拍子もない話に聞こえるかもしれないが、日本があまりにも平和で現実感がないだけだ。このまま何も手を打たなければ、食料不足は確実にくる未来だ。飢餓が蔓延し、戦乱に陥るのはアフリカや南アジアでついこの間まで起きていた話である。

温暖化は、地球環境の悪化の大きな理由だ。温暖化による日本の自然災害はすでにはじまっている。次の項目では、温暖化を原因とする、日本の異常気象を見ていこう。

★〈30〉 国連の気候変動に関する政府間パネル（ＩＰＣＣ）
★〈31〉 『２０３０年ジャック・アタリの未来予測』（プレジデント社）

まず自分のいる場所がどんな水域か知っておくべき

ここ数年、台風の被害が大きい。温暖化により台風が大型化し、豪雨が増加したのだ。これは一過性のものではなく、これからもずっと続くだろう。

2019年秋に発生した台風19号のことを覚えている人も多いだろう。日本列島に大きな爪痕を残した。被害は死者104人で、不明が3人にのぼった。71の河川が142カ所で決壊し、10万1673棟の住宅に被害を出した。土石流災害は20都県で374件発生した。**首都圏や地方に関係なく、誰もが水害の当事者になりうることを実感したのではないだろうか。**

これは、事前のシミュレーションよりも大きかった。埼玉県の秩父方面では、3日間で500ミリの降水量を予測していたが、実際は約650ミリだった。

ただ、東京の荒川エリアではJR京浜東北線の高架下や京成本線高架下の堤防決壊が事前に懸念されたが、予測よりもはるかに大きかったこの台風でも決壊しなかった。関東各地には、こういうときのために調節池が設けられている。それがフル稼働して浸水を食いとめたのだ。

海抜ゼロメートル地帯とは、満潮時の海面よりも低い土地のことだ。東京だと、荒川、江戸川、隅田川の間にある地域が海抜ゼロメートル地帯である。荒川が決壊すれば、大規模な水害となったはずだ。

関東平野の主な大河川は多摩川、荒川、利根川だ。

過去、首都圏では大規模な水害が繰り返し発生してきた。たとえば1947年のカスリーン台風では、利根川で堤防が決壊し、東京東部の海抜ゼロメートル地帯に浸水し、東京で約9万戸、関東全体で約30万戸が浸水した。

今回、利根川水系の決壊を防いだ治水施設が、「地下神殿」と呼ばれる首都圏外郭放水路だ。放水路とは、洪水を防ぐために、河川の途中に新しい川をつくるなどして、他の河川などに流す人工水路だ。この首都圏外郭放水路は、地底50メートル、長さは約6キロメートルで、世界最大級の地下放水路といわれている。

中川や倉松川、幸松川など利根川水系の支流の水があふれそうになったときに、排水ポンプを使って強固な堤防がある江戸川に排出する。

台風19号のときに、排出した水の量は、約3日間で約1150万トンになった。50メートルプール7600杯くらいだ。

今回、放水路のある中川・綾瀬川流域（埼玉県春日部市、草加市、越谷市）では約1200戸の浸水被害が発生したが、同規模の降水量だった1982年の台風18号と比べると20分の1以下の被害にとどまったというから、「地下神殿」の存在の大きさがわかるだろう。

利根川の堤防が決壊し、水没すると、経済損失は30兆円を超えるとの試算もある。1947年のカスリーン台風で、利根川の堤防が決壊したが、当時、浸水した区域内の居住者は60万人だった。しかし今は200万人を超える。そのときより人口密度が高まり、高齢化も進んでいる。避難も容易ではない。

天災に関しては、自分できちんと判断するしかない

国や自治体は危ない区域の治水の整備を進めているが、膨大な費用と時間を要する。首都圏外郭放水路の整備には約２３００億円の費用がかかっている。これから急ピッチで対策を進めても、間に合うかはわからない。

もちろん昔に比べれば、堤防、調節池などの整備は格段に進んだが、住宅も増えた。河川が合流する地点やその周辺などの住むのにふさわしいとはいえない土地も、日本中が戦後の人口増加に伴って宅地開発され、住宅地となっていったのだ。

家を買うときに、価格や利便性は見るだろうが、自分の住む場所の地形を意識して買う人は少ない。いつくるかわからない洪水リスクよりも、経済的な理由を優先したのだ。

山梨大学の秦康範《はだやすのり》准教授は、洪水浸水想定区域の人口の変化を調べている。洪水浸水想定区域とは、雨で氾濫した場合に浸水する危険性が高い場所を示した区域だ。秦准教授によると、その区域の人口は1995年以降一貫して増え続け、20年間で4・4％増の約3540万人にもなっているという。世帯数では47都道府県すべてで増え、25・2％増の約1530万世帯と大幅に増えている。**日本の人口は2008年の1億2808万人をピークに減少に転じているのに、本来、水害の危険で田畑にもならなかったような場所に住む人は増え続けているのだ。**

それだけではない。危険なエリアには高齢者福祉施設が多く建つ。洪水ハザードマップ内で法律（水防法）に基づいて市町村が避難の際に配慮が必要としている施設（病院や高齢者、障がい者施設）は全国に7万7964カ所あり、そのうち、特別養護老人ホームなど社会福祉施設が6万1754カ所もある。★(32)

もし東京湾が氾濫すると死者数7600人、孤立者数80万人になるという。また、利根川が首都圏で広域氾濫すると死者数2600人、孤立者数110万人になるそう

だ。★[33]

1959年の伊勢湾台風による死者・行方不明者が5098人、2005年にアメリカを襲った巨大ハリケーン・カトリーナが約1800人だから、現代の首都圏でも、いかに甚大な被害を及ぼすかがわかるだろう。

治水整備が整っている首都圏の多くの人は、台風報道を見ても他人事かもしれない。意識が高いと思われている大企業でも気候変動による大型台風や豪雨が引き起こす洪水を想定して対策している企業は半数を下回る。★[34]

しかし、「首都圏は例外」という認識を今すぐにでも捨てるべきだ。「河川は昔の姿を覚えている」という言葉がある。川が氾濫するとき、水は古い河道に沿って流れる。

1600年まで利根川は東京湾に流れ込んでいた。江戸幕府を開いた徳川家康が、東京湾に流れ出ていた利根川の流れを、江戸を水害から守り、水田を開発するために現在の千葉県、銚子沖に移したのだ。そのため、巨大豪雨になると徳川以前の「古い流域」が蘇り、関東を覆う利根川流域の水が東京に注ぐ。

東京工業大学の柳瀬博一教授は、災害から身を守るには、災害の履歴や過去の地形を理解しておくことは重要なチェックポイントのひとつだと述べる。**特に、地震に比べると台風は逃げる時間には余裕がある。危ないと思ったら一目散に逃げるべきである。**

★（32）　ＷＥＤＧＥ　２０２０年10月号
★（33）　朝日新聞　２０１６年４月２日付朝刊
★（34）　ロイター　２０２０年１月企業調査（有効回答社数２４５）

自治体のハザードマップを必ず見る

とはいえ、地図を広げたところで自分の住む場所の地形のリスクを把握するのは簡単でないかもしれない。そうした場合に見るべきは、自治体のハザードマップだ。たとえば、東京都江戸川区。2019年5月にハザードマップを11年ぶりに改定し、全戸約34万世帯に配布したが、非常にわかりやすい。

江戸川区は東に江戸川、西に荒川という大河川が流れ、南は東京湾に面している。**つまり、関東地方に降った雨の大半が集まる。**そして、陸地の約7割が満潮時の水面より低い海抜ゼロメートル地帯だ。東京都内でも最も水害が起こりやすい地域だ。

ハザードマップでは、区内が地理的にいかに危険な地域であるかを示し、行政区分でなく流域単位で被害を予測している。そして、マップには「区内にとどまるのは危険です！」と記載し、千葉、埼玉、茨城、神奈川などへの広域避難を呼び掛けている。

自治体が「逃げろ」と事前に勧めているのである。

早々と区外に逃げられれば問題ないし、ギリギリになってしまった場合も想定して、避難路や近隣の避難所などもチェックしておくといいだろう。

2019年7月に、気象庁は九州の豪雨警戒で会見を開いたが、この会見は関係者の間で話題になった。予報官が「住民は、自らの命は自らが守らなければならない状況を認識して、早めの避難を行って頂きたい」と述べたからだ。

予報官が住民に対して避難を直接呼びかけるのは異例だ。これまでは行政が「危険だから逃げなさい」などと逐次指示を出してくれていたが、自分で判断して逃げろと公言したのだ。

近年の大型台風や夏場の高温環境などでは、人知を超える災害が多発している。もちろん、行政の情報開示は重要だが、行政の指示や分析が絶対に正しいとも限らない。

そもそも、これまでの気象の常識では考えられないから異常気象なのだ。特定の傾向を見いだすのは難しい。令和2年7月豪雨を受け、気象庁長官は「予測が難しい線状降水帯が発生し、予想を超える雨量となった。われわれの実力不足だ。今後、技術開発を進めていきたい」と述べている。

将来の気象状況がどのように変化するのか予見するのも困難だけに、これからは「自分の身は自分で守る」という意識を誰もが頭の片隅に持つべきだろう。

近畿圏ももちろん安全ではない。

前出の山梨大の秦准教授は大雨により1メートル以上浸水する世帯数などを自治体ごとに調べている。

それによると、全世帯数に占める浸水世帯の割合の上位10自治体のうち、5自治体が大阪市だ（大阪市城東区、大阪市福島区、大阪市東成区、大阪市淀川区、大阪市東淀川区。ちなみに他は埼玉県、京都府、徳島県、群馬県の市町村が並んでいる）。首都圏と比べても場所によってはインフラは脆弱といえる。

コロナ後の社会で、よく耳にするのが「ニューノーマル（新常態）」という言葉だ。ウィズコロナという言葉とともに、ソーシャル・ディスタンスやマスクを常につけたりの感染症対策から、テレワーク、時差通勤、オンライン会議などの働き方まで変容を求められている。「ニューノーマル」という言葉自体は、今回のパンデミックで生まれたわけではない。主には、２００８年のリーマンショックの後、海外で経済的な危機のときに用いられてきた。

そしてここ数年、日本では、台風の大型化と甚大な被害が「常態化」していることで、ニューノーマルという言葉が取り上げられるようになってきていた。

もしこの文脈で聞いたことがない人も、夏が異常に暑く、毎年のように台風が各地に被害をもたらしていることに異論はないだろう。「ニューノーマル」を私たちは体得しなければならない。

南海トラフ地震の際は、日本中で地震が連動して起こる可能性が高い

遠くない将来に確実起きるといわれているのが、南海トラフ地震と首都直下型地震である。

これらはどれくらいの確率で起きるだろうか。

マグニチュード（M）９級の南海トラフは、30年以内に70〜80％、M７級の首都直下型は30年以内に70％の確率で起きると予測されている。今後30年で交通事故に遭遇して怪我を負ったり、死んだりする確率（1・05％）よりはるかに高い。[★35]

被害もすさまじい。南海トラフは、死者行方不明者数は最も多い場合だと23万１０００人、全壊・全焼する建物は２０９万４０００棟としている。[★36]

首都直下型地震の場合は、死者数は２万３０００人、家屋の全壊・全焼は61万超棟と想定する。

人的被害だけみても莫大だが、首都圏や東海という日本の屋台骨がダメージを負う

図20 | 地震の被害

南海トラフ

起こる確率	30年以内に70～80%
死者・行方不明者	23万1000人
全壊・全焼する建物	209万4000棟

首都直下型

起こる確率	30年以内に70%
死者・行方不明者	2万3000人
全壊・全焼する建物	61万超棟

ので、経済の停滞も避けられない。

電気や上下水道などのライフラインや交通が長期にわたり麻痺し、交通渋滞が数週間継続するかもしれない。鉄道も1週間から1カ月程度運転ができなくなるだろう。首都直下型の場合、避難者数は720万人に達すると想定されており、通常モードになるまで、混乱が数年、いや数十年続く可能性すらある。

地震発生から20年間の経済損失は、首都直下型で778兆円、南海トラフで1410兆円になると推定している。建物の被害だけだとそれぞれ47兆円と170兆円だが、交通インフラが寸断されて工場が長期間止まる影響など、間接的な影響が重くのしかかる。★(37)

国の年間予算が約100兆円だ。いかに巨大なリスクかがわかるだろうか。どちらの地震による被害も「国難」級だと指摘している。

そして、この試算も、もしかしたら甘いかもしれない。

というのも、政府は南海トラフ地震の被害を以前よりも低く見積もったからだ。防災意識が高まっているからとしているが、果たして、国民のどの程度が、今、日本が置かれている危機を想像できているだろうか。

現在想定されている南海トラフ地震は東海地震、東南海地震、南海地震の震源が連動して起きる地震が濃厚だ。首都圏から九州までの広域な被害が生じる可能性が高い。日本全体が麻痺しかねない。

おまけに、その時期を前後して、首都直下型地震も起きるリスクを抱えている。首都圏は、2つの巨大地震で壊滅的なダメージを受ける可能性が出てくる。

だが、これほどの危機を認識しながらも、現状では抜本的対策を打ってきていない。たとえば首都直下型の場合、想定される死者の7割にあたる1万6000人は火災が原因だ。被災地全体で約2000件の火災が発生し、そのうち約600件は消火が間に合わず、同時多発的に大火災が起こると推測されている。

建物の過密を減らし、耐震強化を徹底すれば、死者は想定される10分の1の2300人に減らせるという対策も示されているが、対策が進んでいる気配はない。

また、間接の経済被害も、道路や港湾、堤防といったインフラの耐震工事などを進めれば、被害を抑えられるはずだろう。これらの対策には10兆円かかるが、778兆円の被害が530兆円程度に減る試算もある。

財源の問題を指摘する声もあるだろう。それならば、東京一極集中を見直せばよい。

経済活動の3割を地方に分散すれば、首都直下地震による被害額は219兆円軽減できるという試算もある。

自然災害はパンデミックとは関係なく襲ってくる。近代日本ではこれらが重なったことはないが、1918～1920年に猛威をふるったスペイン風邪の3年後の1923年は、関東大震災が起こっている。

弱り目に祟り目というが、こちらの都合に関係なくウイルスは到来するし、自然災害も起こる。巨大地震のリスクから目を背けている余裕はないのである。

★〈35〉 1年間に交通事故で死傷する確率を0・528%で試算した場合。1年間の交通事故による死傷者の国民全体に占める割合
★〈36〉 政府の中央防災会議が19年5月にまとめた想定
★〈37〉 土木学会

富士山が噴火すると日本中の機能がストップする

災害大国日本で想定しなければならないリスクは地震だけではない。火山だ。万が一、首都圏近郊で大噴火が起きれば影響は広範に及ぶ。京都大学大学院人間・環境学研究科の鎌田《かまた》浩毅《ひろき》教授は「火山学的に富士山は100%噴火する」と断言している。★(38)

日本の活火山は現在111あるが、このうち50を常時観測が必要な火山として、24時間体制で気象庁が監視している。

たとえば、2019年から小規模噴火している浅間山がある。江戸時代の1783年に大噴火した際には1600人規模の死者を出した。噴火は約90日続き、火山灰は今の東京や千葉県にまで降り注いだ。

富士山が最後に大規模噴火したのは1707年だが、そのときは16日間、噴火が続き、現在の東京の都心部に5センチ、横浜には10センチの火山灰が積もったとされる。

5センチと聞くと影響がないように思えるかもしれないが、数ミリ積もるだけで、車道は通行不能になり、飛行機などもエンジンが動かなくなり、公共交通機関も麻痺するだろう。物流もストップする。

インフラの崩壊は道路だけにとどまらない。東京湾周辺に集中する火力発電所の発電機は火山灰を吸い込んで動かなくなるだろうし、コンピューターに火山灰が入り込めば通信機能もダウンするはずだ。数センチも積もれば火山灰の重さで送電線は倒壊し、停電は長期化する。農作物も全滅だ。噴火で起きた泥流や火山灰が川をせきとめ、決壊などすれば流域では浸水などの被害もでる。

数百年前に起きた噴火事例を参考に予測すると、こうした地獄絵図が広がる。「たられば」話に映るかもしれないが、現代の大都市で大規模な噴火の影響を受けたケースは世界的にも少なく、モデルケースがない。

政府が試算した首都圏が受ける被害は、噴火後の15日目に都心部では10センチほど積もり、約5億立方メートルの火山灰を都内から撤去しなければならなくなる。これは東日本大震災で発生した廃棄物の10倍にあたる。政府も対策を検討している最中なのが実情だ。

ちなみに、すぐに逃げようとしても、噴火から約3時間で都心は火山灰の直撃を受ける。国外へ逃げるのは難しいだろう。そして、国内ならばどこに逃げたところで、厳しい生活を強いられるはずだ。

おそらく1年以上、首都圏は機能しなくなる。日本経済が止まれば全世界の経済は滞り、世界のＧＤＰは年率５％程度は下落するはずだ。

株価は絶望的に下落するだろうし、不動産価値は紙くずになるはずだ。

とはいえ、２０４０年代の日本は落ちぶれたとはいえ、いまだ世界有数の経済国であることは間違いないだろうから、ハイパーインフレにはなりにくい。世界経済のために、諸外国が支えてくれるだろう。

こう考えると、２章で預貯金は旨味はないと語ったが、国内株や国内の不動産よりは、意外にも普通預貯金が目減りしないという意味では安全な資産になるかもしれない。いずれにせよ、そうしたリスクの震源地になる国に我々は住んでいることを忘れてはいけない。

日本ではこの３００年ほど大きな噴火は起きていないが、歴史的には珍しい。逆にいえばいつ起きてもおかしくないともいえる。現代の科学の力では、地震や火山がいつ起きるかは正確に予測できないが、いつかは起きる前提での備えが必要だ。

★(38) 週刊エコノミスト2020年9月22日号

温暖化によって戦争が起こる

これから、戦争は起こるのだろうか。

資本主義先進国が繁栄したのは植民地からの収奪であることに異論はないだろう。先進国同士は植民地の資源を巡って衝突した。**戦争の理由は、基本的には資源と富の収奪だ。**

温暖化により異常気象が続くと、危惧されるのは食料の奪い合いだ。人口が増え続ける未来では、将来の食料不足が懸念されるが、異常気象が食料難に拍車をかける。農作物がこれまでどおり育たなくなるからだ。地球温暖化で、生産に適した土地が年々限られるようになる。

特に南半球はいまだに一次産業（農業、林業、鉱業、漁業）の比率が高いので死活問題になる。南半球で生産され、北半球で売られるものを「南北商品」といい、これらは彼らの生活を支えるが、温暖化によりすでに難しくなっているものもある。

南北商品の代表例はコーヒーだ。コーヒー生産の6割程度を占める「アラビカ種」の生産に適した土地が、温暖化により2050年に半減する危険性があるという。★(39)

2040年の気温は、産業革命前より2度以上上昇するのは避けられそうもない。そうなれば、干ばつや猛暑を含む異常気象が頻発するだろう。インドから中東の都市では、夏の外出が命がけになる。

アフリカでは2050年までに栄養失調児が1千万人増え、2100年までに降水量は40%低下する可能性がある。耕作地は最大90%、1人あたりの食料は15%減るとの予測もある。

気候リスクは枚挙にいとまがない。温暖化のみならず、すでにイナゴの大量発生など、かつては30年に一度といわれた出来事が毎年のように世界のどこかで起きていることからもわかるだろう。

こうした状況が改善されなければ、当然、食料の価格は上昇し、貧困はさらに蔓延する。

★(39) ワールド・コーヒー・リサーチ(WCR)調べ

「水」が最も希少な資源になる

1995年に、世界銀行環境担当副総裁であったイスマイル・セラゲルディン氏が発した警告がある。それは「20世紀の戦争が石油をめぐって戦われたとすれば、21世紀の戦争は水をめぐって戦われるであろう」というものだ。食料不足もそうだが、その前に深刻な水不足も起きるだろう。水は石油よりも貴重になる。

すでにアフリカでは、気候変動による水不足に2億5000万人が直面している。2050年は、アジアでも水不足が起こる。10億人が水不足に陥り、世界中の都市部で利用できる水が今の3分の2まで落ちこむ。★[40]

水不足で戦争も起きかねない。かつて、エジプトとスーダン、エチオピアがナイル川の利権でもめたような事態が常態化する。20世紀には石油の利権が戦争を引き起こしたが、21世紀は水を巡る戦争が多発するはずだ。

アメリカの国家情報長官室がまとめた報告書がある。ここでは、将来水が不足し、それが原因で争いの種になることが言及されている。水の確保をめぐり、大河流域の国々で緊張が高まり、上流の国が水を独占したり、ダムなどを狙ったテロが起きたりする恐れがあるというのだ。

荒唐無稽に聞こえるかもしれないが、この報告書は、水不足をめぐって戦争が起こるリスクを分析するために国務省の指示で作成されている。それだけ、気候変動と水不足の引き起こす事態を憂慮しているのだ。

ちなみに、深刻な水不足に陥る地域はパキスタンやインド、中国だ。いずれも核保有国だ。

アメリカが「世界の警察」を自負しているなら、にらみ合いになっても着地点を見いだせたかもしれないが、残念ながら自他共に認めていない今となっては、ワーストシナリオも想定しなければならないだろう。北半球の先進国は軒並み疲弊しており、自国の問題だけで手一杯なはずだ。

気候変動がもたらす不安や連鎖反応が最悪の展開になることは広く知られる。気温と暴力の関係を数値化する研究によると、平均気温が0・5℃上がるごとに、武力衝突の危険性は10～20パーセント高くなるという。

もちろん、どこまで温暖化するかはわからない。

図 21 ｜ 水不足が戦争を引き起こすリスクになる

温暖化によりアジアも深刻な水不足に

⇓

10 億人が水不足の世界で飲める水が

今の **3分の2** に

水不足に陥る国

パキスタン
中国
インド

いずれも
核保有国

戦争？

本章では気温上昇のいくつかのシナリオを想定したが、現時点で、2040年に気温がいくら上がるか特定することは難しい。大気の成分の変化が、どの程度の気候変動につながるかは予測できない。また、これから20年、世界ではどのようなエネルギーがどういう状況で使われるか、林業や農業などが新興国でどの程度広がるかなど不確実性が高い。

とはいえ、どのような対策を打とうが、2040年の世界が、明らかに現在より肌感覚で暑くなっているのは間違いないだろう。

地球温暖化は、人口が増え、経済活動を続ける限り、回避は不可能だ。そして、戦争と違って、世界の誰かによって適切な方針が決められ、あっさり回避することもない。**あなたのあらゆる経済活動や消費活動が温暖化の原因になっており、それが将来のもめごとのきっかけになりかねないことを私たちは自覚すべきかもしれない。**

どうだろうか、正直、この章では、あまり解決策を示さず、ワーストシナリオをひたすら示してしまった。お先真っ暗な気持ちで不安ばかりが募ってしまった人もいるだろう。

この章で述べた項目は、自然が相手だけに、予測も対策も難しい面もあるのだが、個人的には、1章で示したようにテクノロジーが解決してくれるのではと楽観的に考えている。

テクノロジーが解決する根拠を示せといわれれば難しい。100年前の人は、100年後には地震や噴火を完璧に予知できるようになると考えていたが、できていない。ただ、一方で、なくなるといわれていた石油は、枯渇していないし、核戦争も起きていない。公害が深刻化して住めないような場所もでていない。危機に直面してもテクノロジーで解決の道筋を示してきたのが人類なのだ。それは本書をここまで読みすすめてきた方は十分に理解しただろう。

そして、20年前のあなたが、今のあなたの生活を想像できなかったほどにテクノロジーが進展していることを考えれば、自然がもたらす危機に対しても解決策を示してくれるかもしれない、と考えるべきではないだろうか。

地震も台風も温暖化も、これから20年先の未来には、今、あなたが必死に考えている光景とは違う景色が待っているはずだ。

おわりに

マイクロソフト日本法人の社長を退いたのは2000年だった。それから執筆生活を本格的に始めたので、今年で約21年になる。マイクロソフトに在籍した期間は約15年なので、物書きとしての時間の方が長くなった。

書き始めて20年が経過したわけだから、当然年を重ね、気がつけば昨年の9月で65歳を迎えた。共著も含めれば著作は40作を超えた。疲れたわけではないが、充電も兼ね、本書をもって執筆生活を一休みしようかと考えている。

ここまで読みすすめたあなたは気づいただろうが、本書が示す将来はけっこう暗い。希望が持てるシナリオもいくらか示したつもりだが、絶望的な気分になった人も少なくないかもしれないので、最後にひとついっておこう。そこまで悲観する必要はない。なぜならば、いつの時代も高齢者は将来を悲観し、若者は未来を楽観するからだ。

年齢が若くなればなるほど楽観的な傾向にあるのは間違いない。あなた自身も、高校生よりも中学生のときが、中学生よりも小学生のときが楽観的だったはずだ。ゼロ歳児のときには何もしなくても明日が来るし、泣いていればご飯を食べられると思っていただろう。記憶はないだろうが。

つまり、65歳の私が本書でいうことを、すべて真っ正面から受けとめる必要はない。話半分に聞いてもらってかまわない。だが、問題は、話半分でも、日本の未来は明るくないということだ。

今から10年後に日本が世界の五流経済国家におちぶれることはないが、高度経済成長期のような毎年の二桁成長は望めない。よくて横ばいだろう。地震や台風の被害は抑えることができても、リスクはゼロにはできない。明日、家が浸水しても、南海トラフで九死に一生を得る思いをしても不思議ではない。つまり困難の大きさはわからないが、困難に直面するのは避けられない未来は待っている。

それでは、あなたは、どうすればいいのか。最後に、ひとつアドバイスをしよう。国を忘れることだ。日本国民であることを忘れろとか、国籍を変えろとかそういう話ではない。「あなたの力で国を変えよう」などと間違っても思うなということだ。

ちょっと考えてみよう。この10年、国は変わっただろうか。政権が変わろうと、過去にない長期政権が生まれようと、特に何も変わっていない。

そして、世界中を恐怖に陥れた新型コロナウイルスですら、日本という国を大きく変えることには今のところつながっていない。

経験豊富な政治家や官僚のトップですら国を変えられないのだから、たぶんもう変わらない。政治家の質が悪いという意見も聞こえてきそうだが、では民間は変わったのだろうか。

ＧＡＦＡのような企業が日本からは生まれる兆しはまるで見えない。いまだに、産業界では「かつてのソニーのウォークマンのような製品を日本企業はなぜ生み出せないのか」と真顔で議論している。ソニーのウォークマンが世界を席巻したのは１９８０年代だ。産声を上げた赤子が中年にさしかかるほどの歳月がたっていることに、どれほどの産業人が自覚的なのだろうか。

つまり、政治の世界も民間の世界も、飛び抜けて優秀な人材が日夜を問わず働いても、世界的ヒット商品のひとつ生み出せないのが実情だ。

今、これを読んでいるあなたは、国を忘れて、これからの時代をどうやって生き残るのかをまず考えるべきだ。どうすれば幸せな人生を送れるかに全エネルギーを注ぐのをオススメする。

生き残るためには、幸せになるためには環境に適応しなければならない。生き残るのは優秀な人ではなく、環境に適応した人であることは歴史が証明している。

環境に適応するには環境を知ることが不可欠だ。人間は想像力を超えた現実には太刀打ちできない。最悪の事態が想定できていれば、右往左往することはない。

最悪の事態を想定しながら未来を描いておけば、あなたの人生はそれよりも悪くなることはない。そして、そのシミュレーションができていれば、あなた個人に待ち受ける未来は、何も知らずにいたときの景色とは違ってくるはずだ。

成毛眞

［ **参考文献** ］

■ **単行本など**

奥真也『未来の医療年表　10年後の病気と健康のこと』講談社現代新書

高橋洋一『この数字がわかるだけで日本の未来が読める』KADOKAWA

高橋洋一『「消費増税」は嘘ばかり』PHP新書

デイビッド・ウォレス・ウェルズ、藤井留美（訳）『地球に住めなくなる日』NHK出版

野村正實『日本的雇用慣行』ミネルヴァ書房

ポール・シャピロ、鈴木素子（訳）『クリーンミート』日経BP

■ **雑誌・新聞**

『AERA』2020年7月13日号（「地震と豪雨の『現在地』」）

『朝日新聞』2019年5月20日朝刊（「新たんぱく源を探せ」）

『朝日新聞』2019年12月2日夕刊（「熱い！アフリカ発ブランド」）

『共済新報』2019年11月号（高山憲之「老後資金二〇〇〇万円不足問題をめぐって」）

『月刊　激流』2020年4月号（「特集　店舗革命」）

『信濃毎日新聞』2020年6月21日朝刊（佐藤卓己「新型コロナで激変した教育」）

『毎日新聞』2020年5月30日朝刊（宮本太郎「ポストコロナの社会保障」）

『毎日新聞』2016年6月1日朝刊（山田昌弘「奨学金という名のローン」）

『日経サイエンス』2013年9月号（「未来へのタイムトラベル」）

『日経サイエンス』2004年12月号（「身の回りのアインシュタイン」）

『日経ビジネス』2019年10月28日号（風水害対策にニューノーマル）

『日本経済新聞』2016年6月28日夕刊（「学費高騰で128兆円、学生ローン膨張、米経済の重荷に」）

『日本経済新聞』2019年4月1日朝刊（苅谷剛彦「政府主導の大学改革迷走」）

『日本労働研究雑誌』No.585（大湾秀雄、須田敏子「なぜ退職金や賞与制度はあるのか」）

『Newsweek日本版』2019年3月26日号（山田敏弘「第4次産業革命の波」）

『PRESIDENT』2018年5月14日号（長嶋修「タワマンが積立金不足でスラム化の可能性」）

『PRESIDENT』2019年8月30日号（「役所も医者も、誰も教えてくれない『認知症の全対策』」）

『読売新聞』2020年1月7日朝刊（「電池革命を制す」）

『読売新聞』2020年2月27日朝刊（「『6G』戦略　日本はどう挑む」）

『読売新聞』2020年4月23日夕刊（「培養肉・代替肉　“本物の味”へ」）

■ **WEB**

21世紀政策研究所（「シンポジウム　2040年の社会保障のあり方を検討する」）
　http://www.21ppi.org/pocket/pdf/82.pdf

ニッセイ基礎研究所（久我尚子「サブスク化できないものはあるのか？」）
　https://www.nli-research.co.jp/report/detail/id=62901?site=nli

毎日新聞医療プレミア（医療プレミア編集部「『介護危機が40年間続く』日本社会これからの地獄」）
　https://mainichi.jp/premier/health/articles/20190926/med/00m/100/001000c

WILD MIND GO! GO!（柳瀬博一「あなたの住んでいる『流域』と『川』を探して『流域地図』をつくろう」）
　https://gogo.wildmind.jp/feed/howto/list/42

※本文中に出典明示した文献、データは省略

成毛 眞（なるけ まこと）

1955年北海道生まれ。元日本マイクロソフト代表取締役社長。

1986年マイクロソフト株式会社入社。1991年、同社代表取締役社長に就任。2000年に退社後、投資コンサルティング会社「インスパイア」を設立。現在は、書評サイト「HONZ」代表も務める。『amazon 世界最先端の戦略がわかる』（ダイヤモンド社）、『アフターコロナの生存戦略 不安定な情勢でも自由に遊び存分に稼ぐための新コンセプト』（KADOKAWA）、『バズる書き方 書く力が、人もお金も引き寄せる』（SB新書）など著書多数。

2040年の未来予測

2021年 1 月12日　第1版第1刷発行
2023年 3 月23日　第1版第13刷発行

著者	成毛 眞
発行者	村上 広樹
発行	日経BP
発売	日経BPマーケティング
	〒105-8308　東京都港区虎ノ門4-3-12
	URL　https://www.nikkeibp.co.jp/books/
構成	栗下 直也
ブックデザイン	加藤 京子・川北 薫乃子（sidekick）
校正	呉 琢磨・真辺 真
編集	中野 亜海
本文DTP	フォレスト
印刷・製本	中央精版印刷

本書籍に関するお問い合わせ、ご連絡は下記にて承ります。
https://nkbp.jp/booksQA

ISBN 978-4-8222-8890-7